Activité, Travail, Emploi

Les notions d'emploi, de population active, de chômage sont autant de constructions statistiques et sociales dont la signification tend à se transformer avec les évolutions actuelles de l'activité professionnelle. Le développement des inégalités face à l'emploi, la multiplication des situations intermédiaires, la concentration toujours plus grande de la population active sur les âges intermédiaires représentent quelques-unes de ces transformations qui conduisent à s'interroger sur la notion d'activité. Celle-ci ne se confond plus avec le travail à temps plein et à durée indéterminée et l'emploi n'est plus la modalité unique et privilégiée d'exercice du travail. Comme le montre ici Dominique Méda, repenser la place du travail ne peut se dissocier d'une réflexion sur l'articulation des différentes activités sociales.

C. F.

Depuis le début des années 90 s'est développé en France un discours qui tend à mettre la notion d'activité au centre des réflexions sur l'avenir de la société salariale et les transformations du marché du travail : société de pleine activité, multi-activité, contrat d'activité, promotion d'activités socialement utiles... Sans remettre en cause les catégories statistiques sur lesquelles sont fondées les analyses traditionnelles du marché du travail, ces approches invitent néanmoins à les réinterroger et à les considérer pour ce qu'elles sont : des constructions sociales, produits de compromis sociaux plus ou moins explicites sur la reconnaissance de la qualité de chômeurs, la place du travail dans la société, ou la norme d'emploi souhaitable à une époque donnée.

La population active : une définition statistique, une construction sociale

Emploi et chômage

Par convention, la population active est composée de deux sous-ensembles, la population active occupée – c'est-à-dire au travail ou encore disposant d'un emploi – et les chômeurs. L'un et l'autre de ces deux agrégats font l'objet de définitions strictes, en particulier déterminées par le BIT (Bureau International du Travail) au terme de conférences internationales de statisticiens : il existe ainsi une définition internationale de l'emploi et du chômage, adoptée d'abord par le BIT en 1954, et reprise lors de la conférence internationale des statisticiens du travail à Genève en 1982, selon laquelle est chômeur tout individu remplissant trois conditions à un moment donné :
- être sans emploi, c'est-à-dire n'avoir effectué aucun travail rémunéré, ne serait-ce qu'une heure, au cours de la semaine (ou de la période de référence) précédant l'enquête ;
- être disponible ;
- chercher un emploi et avoir accompli un ou plusieurs actes effectifs de recherche.

Comme cela a été de nombreuses fois remarqué (1), cette définition implique une conception restrictive du chômage et, parallèlement, une conception extensive de l'emploi, celui-ci se comprenant comme tout travail rémunéré (ou au moins contribuant à la production nationale), même occasionnel et de courte durée. Le caractère homogène et abstrait de l'emploi ainsi défini vient non seulement de la non prise en considération de la durée de l'emploi (un emploi occasionnel d'une heure n'est pas distingué d'un emploi en CDI à temps plein), mais également du mélange juridique des genres : l'emploi est une grandeur d'abord macroéconomique et statistique, composée des emplois salariés et des emplois non salariés, qui sont agrégés pour donner « l'emploi total ». Les spécialistes de ces questions ont depuis longtemps fait remarquer que ces définitions avaient été arrêtées à une époque où le plein-emploi constituait l'objectif affiché des politiques publiques (2).

La population active

Chacune de ces notions, emploi et chômage, est une construction historique et sociale ; le chômage ne commence à être rendu visible que lors du recensement de 1896, à une époque où la relation de travail

La société française contemporaine
Cahiers français
n° 291

Activité, Travail, Emploi

3

(1) Voir en particulier INSEE, *Résultats, enquête sur l'emploi* de 1998, résultats détaillés et dans la même collection, *Marché du travail*, séries longues, 1994 et Olivier Marchand et Claude Thélot, *Le travail en France*, Paris, Nathan, 1998.
(2) Voir en particulier Robert Salais, « Observations sur les fondements historiques et conventionnels du concept d'emploi dans l'économie du travail » in *L'emploi : dissonances et défis*, sous la direction de Sabine Erbes-Seguin, Paris, L'Harmattan, 1994.

commence à être caractérisée par l'existence d'un lien stable de l'individu avec un établissement et l'emploi devient une grandeur mesurable à partir du moment (seconde moitié du XXe siècle) où des politiques macroéconomiques se donnent pour objectif le plein-emploi des capacités productives. C'est aussi le cas de la population active qui s'appuie, outre ces deux concepts, sur la notion de « population en âge de travailler ». Celle-ci est déterminée par l'âge légal au travail, lui-même résultante d'une décision sur l'âge de la scolarité obligatoire (16 ans) et l'âge jusqu'auquel on a légalement le droit de travailler (64 ans) (3).

Comme on le voit, la population active est le résultat d'une construction historique, sociale et en fin de compte statistique ; elle dépend en effet d'une série d'options, formalisées ou non, sur l'âge « normal » du début et de la fin de la vie de travail, la « norme » convenable d'emploi, la capacité à travailler, la légitimité accordée ou non au souhait de travailler. Les décisions et les politiques concrètes qui interviennent sur ces différents champs contribuent donc à construire, de l'extérieur, la population active, population au travail ou légitimement considérée comme recherchant un travail. Les débats actuels sur le nombre d'années de cotisation nécessaires pour obtenir une retraite à taux plein ou sur la manière dont les différents taux de chômage nationaux doivent être reconsidérés à la lumière du nombre de personnes classées plus ou moins artificiellement dans la catégorie des inactifs (900 000 personnes au Pays-Bas, 344 000 au Danemark, une partie des 2,6 millions de personnes se déclarant en maladie de longue durée au Royaume-Uni) (4) en témoignent.

Ce résultat n'est pas toujours en accord avec le sens commun, car selon la définition statistique de la population active, sont considérées comme faisant partie des « inactifs » des catégories de la population qu'on pourrait cependant, avec d'autres critères, trouver très actives : les femmes au foyer, qui assurent les tâches ménagères et d'éducation ; les retraités non actifs, qui développent de nouvelles activités ou rendent de nombreux services ; les étudiants, qui accroissent ce que certaines théories économiques appellent leur capital humain. Parallèlement, l'inactivité à laquelle sont forcés les chômeurs peut sembler contradictoire avec leur appartenance à la catégorie des actifs. Cette divergence du sens commun et des définitions conventionnelles met cependant bien en évidence les caractéristiques de la population active : c'est la population dont la volonté de participer à l'activité productive – à la production de biens et services telle qu'elle est définie par la Comptabilité nationale – et la disponibilité sont reconnues comme légitimes par la société.

Les contours de l'activité

Si l'on accepte, pour l'instant, ces définitions, qu'en est-il aujourd'hui de cette population active ? Quelle est sa composition, sa structure, les évolutions majeures qu'elle a connues ?

Une croissance sensible

Si l'on prend une perspective d'évolution longue, par exemple deux siècles (5), on constate en France une croissance sensible de la population active sur tout le XIXe siècle, puis une stabilisation dans les cinquante années après 1914, suivie d'un développement vigoureux sous le double effet de l'arrivée des générations du *baby-boom* sur le marché du travail et du décollage de l'activité féminine salariée hors du domicile. On comptait 1,3 inactif pour un actif au début du XIXe siècle ; il en va de même aujourd'hui. Mais cette apparente similitude cache de grandes différences, visibles dès que l'on compare le ratio inactifs et chômeurs sur emploi. Il était de 1 à la fin du XIXe siècle, il est de 1,6 aujourd'hui. Dès lors, deux phénomènes apparaissent massifs, sinon au regard de l'évolution longue (les définitions et la mesure du chômage sont trop difficiles au long des deux siècles ; l'évolution du travail féminin est plus mouvementée qu'il n'y paraît) au moins au regard des cinquante dernières années : l'explosion du chômage à partir de 1974 – le taux de chômage par rapport à la population active passant de 3 à 12% en 1998 – ; l'extension de l'activité féminine d'autre part, le taux d'activité féminine passant de 39,8% en 1962 à 64,1% en 1996 (6).

Une concentration sur les âges intermédiaires

En raison des comportements féminins, de l'allongement du temps des études et de l'effet conjugué des politiques publiques, la structure de la population active française apparaît aujourd'hui très spécifique (7) : l'activité est concentrée sur les âges intermédiaires (les actifs de 25 à 49 ans représentent près de 72% de la population active). De plus en plus de jeunes poursuivant leurs études jusqu'au niveau du baccalauréat ou au-delà, l'âge moyen d'entrée dans la vie active a continué à s'élever (près de 22 ans en moyenne en 1998) et presque tous les jeunes de 15 à 19 ans ainsi que la moitié de ceux de 20 à 24 ans sont aujourd'hui scolarisés ou inactifs. La part des plus de cinquante-cinq ans dans la population active a également considérablement diminué (de 18,7% de la population active en 1968 à 9,4% en 1995) en particulier sous l'effet de la baisse de l'âge de la retraite et des politiques visant au retrait anticipé d'activité. « *Ce*

La société française contemporaine
Cahiers français
n° 291

Activité,
Travail,
Emploi

4

(3) Mais la définition de la population en âge de travailler fait aussi l'objet de débats et de conventions : l'OCDE considère ainsi l'ensemble de la population 15-64 ans, alors que Thélot et Marchand prennent pour référence la population de 18 à 64 ans.
(4) Jean-Claude Barbier et Jérôme Gautié, *Les politiques de l'emploi en Europe et aux États-Unis*, Paris, PUF, 1998.
(5) Voir Olivier Marchand et Claude Thélot, *op. cit.*
(6) Population active rapportée à la population en âge de travailler, cf. Marchand, Thélot, *op. cit.*, p. 223.
(7) Voir Olivier Marchand, « Population active, emploi et chômage au cours des années 90 », *Données sociales*, Paris, INSEE, 1999.

La société française contemporaine

Cahier réalisé sous la direction de Jean-Yves Capul

Éditorial

La société française contemporaine
Cahiers français
n° 291

Sommaire

1

Éditorial

La société française contemporaine
Cahiers français
n° 291

Éditorial

2

Si les mutations de l'économie française sont souvent présentées sous un jour favorable, avec la croissance continue du niveau de vie et de la consommation des ménages, la fin de l'inflation ou encore les bons résultats du commerce extérieur, les transformations récentes de la société française semblent au contraire dominées par l'exclusion, la crise du modèle salarial, les inégalités ou les violences urbaines. Ces évolutions s'inscrivent cependant dans des mouvements de longue durée qui contribuent à en expliquer l'apparition et les manifestations. L'affaiblissement des grandes institutions intégratrices que sont l'État, la Famille, l'École ou l'Entreprise, la fin des identités collectives, fondées sur l'appartenance à une classe sociale, un parti, une religion ou un syndicat et, enfin, la montée concomitante de l'individualisme laissant à chacun une plus grande latitude dans ses choix et ses comportements représentent ainsi quelques-unes de ces grandes tendances relevées par toutes les analyses de la société française.

Ces tendances contribuent à rendre les évolutions récentes moins facilement lisibles. Les découpages en grandes catégories perdent ainsi quelque peu de leur pertinence lorsque les inégalités se développent considérablement au sein même de chacune de ces catégories d'âge, de diplôme, d'appartenance sociale, de niveau de vie. En outre, les bouleversements du monde du travail conduisent eux aussi à rendre caduques les grilles de lecture de la société établies pour la période des Trente Glorieuses (développement irréversible des classes moyennes, accroissement de la mobilité sociale, réduction des inégalités entre sexes, autres catégories sociales, par exemple). Dans le même temps, d'autres décompositions de la structure sociale gagnent en intérêt. Ainsi, l'analyse des évolutions contemporaines en termes de générations s'impose aujourd'hui avec le développement des inégalités entre ces dernières. Effets tardifs de la crise économique et du chômage sur la société, mais aussi fruits des transformations sociales (poids croissant des familles monoparentales à faibles revenus), les écarts entre générations se creusent avec d'un côté l'amélioration du niveau de vie des plus âgés et, de l'autre, la dégradation du niveau de vie des moins de trente ans.

A l'heure où les bilans d'un siècle écoulé vont se succéder, l'ambition de ce numéro est plus modeste. Il s'agit d'éclairer la situation actuelle de la société française, quitte à en rappeler certaines mutations récentes, à travers quinze des principaux domaines d'analyse sociologiques. Au-delà de la présentation des principaux changements, c'est une lecture de leurs significations que proposent ces contributions.

Jean-Yves Capul

mode de gestion des âges qui privilégie les âges inter-médiaires existe dans d'autres pays, mais en France, il est exacerbé et encouragé par les politiques publiques » (8). Enfin, à mesure que les taux d'activité masculins diminuaient, l'activité féminine progressait sans relâche ; les femmes représentent aujourd'hui 45,5% de la population active.

Selon les principaux résultats des travaux de projection de population active réalisés par l'INSEE, la Direction de l'Animation de la Recherche, des Études et des Statistiques (DARES) et le Commissariat Général du Plan (CGP) (9), la plupart de ces tendances devraient se confirmer dans les prochaines années : la population active devrait croître jusqu'en 2006 ; le taux d'activité moyen devrait rester stable autour de 55% ; la population active devrait rester concentrée sur les 25-54 ans ; on devrait assister à la stabilisation de la part des jeunes dans l'activité, de même qu'à la poursuite de l'augmentation des taux d'activité féminins, au moins jusqu'à environ 2015, celle-ci pouvant finir par faire se rapprocher considérablement les taux d'activité des deux sexes.

Activité, emploi, chômage : brouillage des frontières et remises en cause

Les évolutions globales décrites ci-dessus doivent être décomposées pour chacun des deux sous-ensembles qui constituent la population active. Si l'on s'en tient aux chiffres, le taux de chômage (toujours calculé par rapport à la population active) était de 12% en 1998, recouvrant de grandes disparités selon les CSP (4,5% pour les cadres mais 14,7% pour les ouvriers), les diplômes (6,8% pour les diplômés du 2ème ou 3ème cycle du supérieur mais 17,4% pour les sans diplômes ou CEP) et le sexe (10,2% pour les hommes et 13,8% pour les femmes). Plus de quatre chômeurs sur dix étaient considérés comme des chômeurs de longue durée en 1998 alors que « *malgré les programmes successifs en leur faveur, le «noyau dur» du chômage de longue durée apparaît extrêmement difficile à entamer, même en cas de reprise de la croissance* » (10).

Mais la catégorie de chômage, apparemment bien délimitée par les strictes recommandations du BIT, fait cependant l'objet de critiques et de remises en cause car elle ne prend pas en considération – même si c'est dans une bien moindre mesure en France que dans d'autres pays – un certain nombre de personnes qui auraient sans doute le désir de travailler mais qui sont ou bien considérées comme ayant trop peu de chances de retrouver un emploi (dispensées de recherche d'emploi) ou bien comme n'ayant pas véritablement accompli d'actes positifs de recherche d'emploi ou encore découragées de le faire (chômeurs de très longue durée ; femmes désirant travailler mais ne se déclarant pas chômeuses ; jeunes préférant poursuivre des études pour se protéger du chômage). Il y a là un premier brouillage potentiel des frontières entre inactivité et chômage.

Le flou qui s'étend entre le chômage et l'emploi est encore beaucoup plus grand. Il s'exprime de différentes manières : situations de sous-emploi non intégrées dans la catégorie du chômage (chômage partiel, travailleurs à temps partiel souhaitant travailler davantage) ; reconnaissance, au sein même du chômage enregistré par l'ANPE, de plusieurs catégories de chômeurs en activités réduites – travaillant plus de soixante-dix-huit heures par mois, et dont le nombre ne cesse d'augmenter (11) – ; statuts intermédiaires (stagiaires ou titulaires de contrats aidés) et formes particulières d'emploi (intérim, CDD, mais aussi travailleurs saisonniers), qui peuvent se recouper avec les catégories précitées et dont l'augmentation est également très forte.

C'est non seulement la clarté de la frontière entre inactivité et chômage qui est remise en cause, mais plus généralement celles qui existaient entre inactivité, chômage et emploi (on parle depuis 1986 de « halo » (12) autour du chômage), même si la norme d'emploi, définie en 1982 comme régie par le contrat de travail à durée indéterminée et à temps plein, reste très largement majoritaire en stock. C'est en réalité tout autant la catégorie de chômage (reconnaissant à la fois la légitimité du désir de travailler et la possibilité d'obtenir un revenu de remplacement) que la norme d'emploi « convenable » qui sont remises en cause par la multiplication de ces situations.

Promouvoir l'activité : rendre vraiment « active » la population active

Face au développement du chômage, et alors que les années 80 avaient mobilisé des mesures visant à réduire la population active (préretraites, stages et contrats aidés divers, allongement de la durée des études), les années 90 ont vu se développer des propositions particulièrement centrées sur la notion d'activité, l'objectif étant non plus de réduire la taille de la population active (et par conséquent des chômeurs potentiels), mais plutôt (et comme si tous les autres moyens avaient désormais été utilisés) de rendre vraiment « active » la part de la population active non occupée ou de rendre plus supportables les transitions entre emploi et chômage. Dans cette configuration, la notion d'activité est certes utilisée dans un tout autre sens que précédemment, mais l'utilisation de ce même terme n'est cependant pas fortuite. Cinq grands types de propositions peuvent être distingués.

La société française contemporaine
Cahiers français
n° 291

Activité,
Travail,
Emploi

5

(8) Olivier Marchand, « Population active, emploi et chômage... », *op. cit.*
(9) DARES, *Premières synthèses* 97.02, n°07.1, *La population active devrait encore augmenter pendant une dizaine d'années.*
(10) Olivier Marchand, « Population active... », *op. cit.*
(11) Les demandeurs d'emploi en activité occasionnelle ou réduite, *Premières synthèses*, 98.11, n°45-1.
(12) Michel Cézard, « Le chômage et son halo », *Économie et statistiques*, n°193-194, novembre-décembre 1986, Paris, INSEE.

La société française contemporaine
Cahiers français
n° 291

Activité,
Travail,
Emploi

6

L'activité comme substitut à l'emploi

« **L'emploi est mort, vive l'activité** » (13). Avec ce titre explicite, Michel Godet inaugure en 1993 une série de publications d'auteurs pour la plupart anglo-saxons, dont le propos est double : promouvoir le développement de nouvelles activités (au sens économique du terme), et donc de nouveaux emplois ; remettre fondamentalement en cause la notion d'emploi, dans son double sens de place dans une entreprise ou une organisation et de lien stable avec un employeur. Selon ces théories, il faut en terminer avec l'idée que l'entreprise est organisée comme une ruche avec des alvéoles bien déterminées et destinées à perdurer éternellement. L'entreprise devient polycellulaire, en réseau et virtuelle. Le contrat de travail à vie doit faire place à la mission ponctuelle définie par un contrat d'entreprise. Nous devons tous devenir des travailleurs temporaires et indépendants, des « Moi-SA » (14). Dans cette perspective, l'emploi salarié, et pire encore, l'emploi sous statut fonction publique est considéré comme la source des rigidités qui affectent le marché du travail. Promouvoir l'activité, c'est créer des emplois d'un nouveau type, en finir avec le salariat.

Développement d'activités nouvelles et insertion

L'idée de promouvoir et de soutenir des activités nouvelles, qui permettraient à la fois de répondre à des besoins sociaux non satisfaits et de donner un emploi aux personnes qui souhaitent travailler, a été développée en France à la fin des années 70 ; un programme expérimental portant sur 5 000 Emploi d'Utilité Collective avait pour objectif de « permettre la création d'emplois durables par des organismes et des personnes intervenant localement pour développer des **activités** et des services qui n'ont jamais été jusqu'à présent pris en compte ni par les services publics ni par les entreprises à but lucratif » (15). Le rapport Schwartz avait repris ces idées en les accompagnant de nombreuses mises en garde (16) ; ce secteur ne devait pas se transformer en zone « d'emplois réservés » ou masquer le recours à de simples expédients et n'être qu'un habillage. En particulier, le rapport insistait sur la question centrale du contrat de travail : « *la deuxième précaution consiste à rendre très clair le statut des jeunes dans ces emplois : ils bénéficieront d'un contrat de travail en bonne et due forme* ». Mais il ouvrait pourtant une brèche, dans laquelle s'engouffreront une partie des politiques publiques d'emploi des années suivantes : « *cependant, il peut se faire que les collectivités ne puissent pas s'engager dans des activités à long terme impliquant des contrats de travail. Dans ce cas, l'activité n'est acceptable que si elle s'intègre dans une stratégie de formation qualifiante, le jeune ayant alors le statut de stagiaire de la formation professionnelle* ».
L'histoire de l'insertion et du développement d'activités nouvelles a été marquée en France, depuis vingt ans, par ces hésitations sur la forme juridique à donner non seulement aux structures ayant pour charge de développer ces nouvelles activités mais aussi aux personnes par elles employées. TUC, CES, emplois-jeunes ont

revêtu des formes juridiques diverses, allant respectivement du statut TUC, au contrat de travail à mi-temps puis au CDD de cinq ans. Les positions des différents tenants de ces propositions, nombreux en France, doivent essentiellement être analysées au regard du type de contrat de travail proposé aux personnes employées, par comparaison avec la norme traditionnelle d'emploi. Exercer ces activités intermédiaires, c'est donc travailler ou avoir accès à ce à quoi le travail donne habituellement accès (une utilité sociale, un revenu, une insertion), sans que la forme « revêtue » par le travail soit nécessairement un emploi, caractérisé par un contrat de travail classique.C'est donc ainsi se trouver entre l'emploi et le chômage.
Comme le rappellent, chacun à leur manière, C. Guitton et M. Elbaum (17), ces mesures indiquent en creux la décision de ne pas instituer un véritable « secteur d'utilité collective » mais bien plutôt une sphère destinée à servir de sas, de tremplin pour l'emploi. C'est, d'une certaine manière, à cette condition qu'ont pu être introduites des formes d'emploi qui s'éloignaient considérablement du contrat de travail et qui introduisaient une « *non-concordance entre la position économique et le statut juridique* " puisque " *la catégorie choisie ne correspond pas à la position réelle du bénéficiaire sur le marché du travail* » (18). Le programme actuel « nouveaux services, emplois jeunes » échappe à cette contradiction en accordant à ses bénéficiaires de véritables contrats de travail, pour cinq ans. Il est fondé, de surcroît, sur l'ambition de rendre pérennes les nouvelles activités développées grâce à l'aide publique.

Élargir la notion de travail

En 1995 était publié le rapport d'une Commission du Commissariat Général de Plan intitulé *Le Travail dans vingt ans* (19). La proposition-phare de ce rapport consistait à mettre en place un **contrat d'activité**, dont l'objectif était non seulement d'assurer aux personnes des transitions plus faciles entre l'emploi et le chômage, mais également de réintégrer dans la définition du travail des activités qui n'en faisaient jusqu'alors pas légalement partie, comme la formation. Élargir la notion de travail permettait du même coup de mettre en place plus facilement des passerelles entre différents statuts. Il s'agissait également de promouvoir une nouvelle forme de collectif, qui aurait permis la

(13) Michel Godet, *L'emploi est mort, vive l'activité*, Paris, Fixot, 1993.
(14) Voir en particulier William Bridges, *La conquête du travail*, Éditions Village mondial, 1995, ou pour une analyse de l'ensemble de ces thèses, Dominique Méda, *Qu'est-ce que la richesse ?*, Paris, Aubier, 1999.
(15) Cité dans Christophe Guitton, *Droit, action publique et travail*, thèse pour le doctorat en droit, 1996, p. 147.
(16) Bertrand Schwartz, *L'insertion professionnelle et sociale des jeunes*, rapport au Premier ministre, Paris, La Documentation française, 1981, p.70.
(17) Mireille Elbaum, « Pour une autre politique de traitement du chômage », *in Le travail, quel avenir*, Paris, Folio, 1997.
(18) Nicole Kerschen, « Les statuts juridiques intermédiaires », cité *in* Christophe Guitton, *op. cit.*, p. 275.
(19) Jean Boissonnat, *Le travail dans vingt ans*, Paris, La Documentation française/Odile Jacob, 1995.

mutualisation de fonds issus de plusieurs sources et organisé les parcours des personnes entre des moments de travail et de formation.

Il faut rapprocher de cette proposition, tout en l'en distinguant, l'argumentation développée dans un rapport européen dirigé par Alain Supiot (20) qui vise à permettre le « maintien des personnes aux divers moments de leur vie dans un "état professionnel" qui garantisse l'efficience et le développement de leurs capacités de travail ». Cette proposition a pour objet de fonder la protection et les garanties des individus sur des « activités » plus larges que celles qui sont actuellement encadrées par le seul contrat de travail, et, d'une certaine manière, vise à considérer de manière extensive le travail, qui ouvrirait ainsi à des droits individuels et collectifs protecteurs et serait régulé de manière collective.

Rendre actives les dépenses passives consacrées au chômage

C'est également dans les années 90, et sans doute sous l'impulsion de l'OCDE qui préconisait un modèle de « **société active** » (1990), que se sont développées en France, mais aussi dans d'autres pays, les idées d'activation des dépenses passives.

Il s'agissait, en première interprétation, d'augmenter la part active des dépenses consacrées au traitement du chômage par rapport à la part passive (indemnisation par exemple) et donc de redéployer une partie des sommes globales vers de la formation, des actions de conversion, voire des subventions aux employeurs de personnes au chômage. En « activant » de la sorte ces dépenses, on rendait concomitamment le chômeur plus « actif » et plus apte à retrouver un emploi. On est donc passé sans ambages de l'idée d'activer les dépenses à celle d'activer les chômeurs, idée qui a rapidement donné lieu, au cours des années 90, à des politiques – très diversifiées selon les pays – mêlant les notions de contrepartie (pas d'allocations sans participation du chômeur à des actions de formation ou des travaux d'utilité sociale), de préférence sociale pour le travail des chômeurs, quel que soit celui-ci et d'actes positifs de recherche d'emploi et d'exercice d'une activité (21). Ces politiques se sont surtout développées, de manière très différente, en théorie et en pratique, aux États-Unis (politiques de *Workfare*, où le versement d'une aide financière s'accompagne d'une obligation de travail ou de participation à des programmes préparant à l'emploi), et au Royaume-Uni (le *Project Work* contraint les individus, depuis 1996, à accepter des stages de travail pour toucher leur indemnité de chômage, comme le programme *Welfare to Work* mis en place par le gouvernement Blair en direction des jeunes chômeurs et des chômeurs de longue durée).

En France, la combinaison du durcissement des conditions d'indemnisation du chômage et du développement de dispositifs d'allégement des cotisations sociales employeurs a contribué à réduire fortement la part « passive » des dépenses de l'emploi. Il y a bien eu « activation » des dépenses, mais, malgré les débats récurrents sur la nécessité de demander aux Rmistes des « contreparties », la politique d'insertion à la française ne s'est pas encore transformée en politique de *Workfare*.

Développer une société pluri-active

Une série de propositions se sont développées à partir des années 1993-1994, particulièrement en France, visant à promouvoir une société **pluri-active ou multi-active** (22). Une partie de ces propositions avaient pour objectif d'agir à la fois quantitativement sur le nombre de besoins sociaux susceptibles d'être transformés en activités et donc en emploi (économie solidaire) et, qualitativement, sur le type d'activités exercées (ajoutant à l'emploi classique les activités bénévoles). Il s'agissait également d'inviter l'ensemble de la population active à mieux répartir l'emploi en son sein, chacun pouvant disposer d'un emploi, d'une activité bénévole, d'un engagement associatif... D'autres propositions invitaient à réfléchir sur la répartition de l'activité et de l'emploi tout au long de la vie, de manière à mêler plus qu'actuellement les activités de travail, de formation ou les congés sur toute la durée de la vie active individuelle, au lieu de promouvoir le modèle rigide que l'on observe à l'heure actuelle, où après une période assez longue de formation, l'activité professionnelle se concentre sur moins d'une trentaine d'années pour s'interrompre brutalement et souvent de manière anticipée.

L'ensemble de ces propositions, qui se fondent pour la plupart sur la notion d'activité, ont un point commun ; elles invitent à reconsidérer les frontières strictes entre inactivité, chômage et emploi, à élargir, de manière souvent considérable, la notion de travail (étendue à d'autres activités que la stricte activité professionnelle) et surtout à réviser la notion d'emploi sur laquelle nous continuons de nous fonder. Qu'il s'agisse d'accorder des droits aux personnes au titre de leur « état professionnel » comme le fait Alain Supiot (et donc de substituer celui-ci à l'emploi comme fondement de ces garanties, comme le suggère le titre de son livre *Au-delà de l'emploi*) ou de reconnaître à de nouvelles activités, qui ne prennent pas nécessairement la forme du contrat à durée indéterminée à temps plein, la qualité de travail, elles invitent toutes à ne plus considérer l'emploi comme modalité unique et privilégiée d'exercice du travail.

Vers le développement du taux d'emploi ?

Le taux d'emploi plutôt que le taux d'activité

A côté de cet ensemble de réflexions fondé sur la notion d'activité, un autre courant, qui se manifeste de manière plus vigoureuse depuis quelques années,

La société française contemporaine
Cahiers français
n° 291

Activité,
Travail,
Emploi

7

(20) Alain Supiot, *Au-delà de l'emploi*, Paris, Flammarion, 1999.
(21) Voir en particulier Jean-Claude Barbier et Jérôme Gautié, *op. cit.*
(22) Voir *Esprit*, décembre 1995, *Vers une société de pluriactivité ?*

doit être pris en considération. Il s'agit des propositions de la Commission européenne, en particulier dans sa série de *Rapport sur les taux d'emploi*, dont la philosophie, appuyée sur la décision, arrêtée au sommet de Luxembourg, de reconnaître l'emploi comme une priorité de l'Europe, consiste à privilégier, non pas le taux d'activité – qui comprend actifs occupés et chômeurs – mais bien le **taux d'emploi**, pour mettre en évidence non pas la partie « active » de la population totale, mais bien la partie de la population en âge de travailler qui est effectivement au travail : « *le taux d'"emploi*, indiquent les auteurs du *Rapport sur les taux d'emploi 1998* (23), *est un sujet qui recueille une attention accrue depuis quelques années, car il constitue une mesure efficace des performances d'une économie en matière de fourniture d'emplois à toutes les personnes aptes à travailler. L'utilisation de ce taux concentre l'attention sur l'emploi et sur le potentiel d'emploi des personnes non occupées, qui incluent à la fois les "économiquement inactifs" et les chômeurs* ».

On voit en effet le considérable déplacement de perspective qu'implique l'utilisation privilégiée de ce taux. Il s'agit ni plus ni moins de considérer, de manière implicite, qu'il est souhaitable que l'ensemble de la population en âge de travailler (c'est-à-dire les jeunes dès qu'est dépassé l'âge de la scolarité obligatoire, toutes les femmes et l'ensemble des personnes jusqu'à soixante quatre ans) travaille. Les rapporteurs indiquent bien en effet que « *le potentiel européen en matière d'emploi ne se limite pas aux chômeurs mais concerne l'ensemble de la population économiquement inactive* ».

Le rapport compare le taux d'emploi européen actuel (60,5% en 1997) au taux américain (74% à la même date). Il indique que les principales différences entre l'Union et les États-Unis concernent les jeunes de 15 à 24 ans (36% contre 52%), les femmes des classes d'âge de forte activité (61,9% contre 73,6%) et les hommes de plus de cinquante–cinq ans (46,5% contre 65,5%). Il rappelle que l'obtention d'un taux d'emploi le plus élevé possible est souhaitable pour trois raisons : la contribution d'un tel taux à la croissance économique ; son utilité à un moment où s'annoncent un fort vieillissement de la population européenne et donc des tensions sur les systèmes de Sécurité sociale et les finances publiques ; la nécessité que le plus grand nombre possible de personnes aient un lien avec le monde du travail. Le Rapport propose plusieurs voies pour promouvoir un taux d'emploi élevé en Europe : développer le secteur des services ; développer le temps partiel ; fournir des services de garde d'enfants ; élever le niveau des qualifications ; prendre des mesures adéquates en matière de fiscalité, régimes de prestations, dépenses publiques et réglementation du marché de l'emploi.

Une vision restrictive de l'emploi

Mais, comme précédemment avec les réflexions concernant l'activité, on voit immédiatement que de telles propositions ne sont absolument pas neutres du point de vue de l'emploi, ou de ce que l'on a coutume d'appeler la norme d'emploi ; la Commission indique en

effet clairement qu'il est souhaitable de développer le temps partiel (pour les personnes qui le souhaitent, précise-t-elle), en particulier pour les femmes, les jeunes qui poursuivent des études et les personnes assez âgées. « *L'ampleur du travail à temps partiel peut avoir un impact significatif sur le nombre d'emplois créés par un volume de travail donné* » écrivent les rapporteurs, indiquant un peu plus loin que « *le rôle d'une bonne réglementation du marché de l'emploi, qui consiste à introduire une plus grande flexibilité dans le fonctionnement de ce marché, est de plus en plus reconnu* ».

Il semble en effet évident que le souci premier de la Commission est bien de développer, au niveau européen, un taux d'emploi beaucoup plus élevé, sans que rien ne soit dit ou presque, de la définition de l'emploi en question, ou encore de la norme d'emploi qu'il s'agit de promouvoir. Comme on l'a vu, l'essentiel est que le maximum de personnes, qu'elles soient jeunes, âgées, avec ou sans enfants, participent au marché de l'emploi. On retrouve ici une conception implicite de l'emploi très proche de celle du BIT, c'est-à-dire un emploi très abstrait, considéré comme participation, même minimale, au travail rémunéré, sans qu'il soit question d'un volume horaire minimal ou de norme convenable d'emploi, pas plus que des revenus tirés de cet emploi ou de la qualité de celui-ci.

C'est d'ailleurs à la même question que renvoie un récent rapport de l'UNEDIC (24) consacré à l'enrichissement de la croissance en emplois en France : derrière cette formulation positive (« enrichissement »), il s'agit bien plutôt d'emploi défini comme participation même de quelques heures, et sous quelque forme que ce soit, à l'activité rémunérée. En effet, le rapport explique cet enrichissement par l'effet conjugué de trois facteurs : le développement du secteur tertiaire, dont le contenu en emploi est fort ; le développement du travail à temps partiel et l'augmentation de l'emploi court ou précaire ; la baisse du coût du travail.

Ces diverses analyses invitent à revenir, de manière approfondie, sur la notion même d'emploi ; on voit bien comment la définition de l'emploi, de ce qu'est la norme d'emploi au sens quantitatif mais également qualitatif du terme (nombre d'heures, garanties, revenus attachés, statut juridique, conditions d'exercice) et plus généralement de l'emploi convenable, importe aujourd'hui. Ce qui paraît tout à fait urgent, c'est sans doute moins une conférence internationale de statisticiens définissant à nouveaux frais les critères de l'emploi et du chômage, voire, comme il en est question depuis plusieurs années, du sous-emploi (25), qu'un vaste débat public permettant de s'accorder sur ce qui peut être légitimement reconnu, et derechef compté, comme un emploi. De cela dépend évidemment tout le reste.

(23) Commission des Communautés européennes, rapport sur les taux d'emploi 1998, Performances des États membres dans le domaine de l'emploi, COM (98).
(24) UNEDIC, Direction des Études statistiques, *La richesse accrue en emplois de la croissance française, quelques remarques*, 1999
(25) Une conférence internationale tenue en octobre 1998 sous l'égide du BIT a ainsi proposé le concept d'emploi « adéquat ».

La société
française
contemporaine
Cahiers français
n° 291

Activité,
Travail,
Emploi

8

Travail, activité, emploi : quelles articulations ?

Redéfinir la norme d'emploi

La récente loi qui ramène la durée hebdomadaire légale du travail à 35 heures à partir de l'an 2000 pour les entreprises de plus de vingt salariés et qui vise à mieux répartir l'emploi sur l'ensemble de la population active a fait naître de très nombreuses questions, restées plutôt implicites jusque-là, sur la définition du travail (le travail est-il réductible au temps passé, qu'est ce que le travail effectif...?). C'est certainement l'une des politiques publiques récentes qui invite le plus à remettre en chantier des réflexions sur la norme d'emploi et la place du travail dans la société et la vie des individus. Elle pourrait en effet – sous un certain nombre de conditions – constituer une formidable occasion de reconstruire une nouvelle norme d'emploi permettant de dépasser les actuelles inégalités face à l'emploi et au temps (coexistence de l'« inutilité au monde » de certains et de l'« indisponibilité au monde » d'autres, conjonctions de temps partiels subis et d'horaires de travail trop longs, inégalités entre hommes et femmes, nouvelles formes d'emploi de plus en plus éloignées de la norme classique du CDI à temps plein).

Ouvrir un tel chantier exige la réalisation de plusieurs conditions, parmi lesquelles figure la volonté déterminée des citoyens, des syndicats, des entreprises et des pouvoirs publics de reconstruire un système cohérent dans lequel l'activité professionnelle renormée ne constituerait qu'une des activités humaines dont le développement contribue au bien-être individuel et social. Que l'on juge – comme l'auteur de ces lignes par exemple – que l'activité se décline de manière plurielle, c'est-à-dire qu'on doit entendre par activité non pas le seul exercice d'un travail mais plus largement l'activité productive, l'activité politique, l'activité familiale, amicale, amoureuse, l'activité culturelle et d'autres – ou, – comme Alain Supiot par exemple –, que tout cet ensemble doit plutôt s'appeler travail, un certain nombre de personnes s'accordent pour reconnaître que cet ensemble (activité ou travail) doit être régulé collectivement, de manière à ce que chacun puisse participer pleinement et selon des normes définies collectivement à chacune des activités qui le compose. Cette régulation collective, dont Alain Supiot indique par exemple qu'elle ne peut en aucune manière être déterminée par les seules entreprises (26), devrait donc concerner l'ensemble des temps sociaux, dont fait évidemment partie le temps de travail, et viser à permettre leur articulation.

Activités sociales et temps sociaux

C'est certainement seulement à partir d'une prise en considération globale (et élargie) du bien-être social que l'on peut tenter de redéfinir la place et l'articulation des différentes activités sociales ou des différents temps sociaux et en tirer un certain nombre de conséquences quant à la norme d'emploi souhaitable (27). Norme d'emploi plus courte, mais « convenable » au sens des années 70, c'est-à-dire recouvrant un certain nombre de garanties, donnant un salaire également convenable et permettant l'exercice des autres activités, en particulier familiales et politiques, tout aussi nécessaires au bien-être social que les autres. Ce type de politique, très générale et structurante, que l'on commence à appeler une politique des temps, devrait évidemment concerner au premier chef les mesures dites de conciliation de la vie familiale et de la vie professionnelle, actuellement réservées aux femmes mais qui sont appelées à devenir des politiques sociales générales. C'est l'exemple que donnent les pays du Nord (pays scandinaves et plus récemment Pays-Bas) où la transformation des questions d'égalité entre hommes et femmes et la reconnaissance de la pluralité des sources de bien-être social en questions politiques majeures a permis, même si des « progrès » restent à faire, là aussi, de penser ensemble place de l'activité professionnelle des hommes et des femmes, rôle des services collectifs et partage des tâches familiales et domestiques.

Repenser la place respective du travail et des autres activités, tenter de mieux articuler les temps sociaux, en déduire une nouvelle norme d'emploi exigent évidemment non seulement l'existence d'espaces de débat où puissent se traiter ces questions, l'implication de tous les acteurs concernés, partis politiques, syndicats, entreprises, mais également la construction de politiques publiques et d'entreprises susceptibles de s'adapter, elles aussi, aux aspirations et aux contraintes diversifiées des individus. Cela exige aussi des raisonnements et des mesures prenant mieux en considération l'ensemble du cycle de vie, l'articulation de politiques (économiques et sociales) jusqu'ici largement cloisonnées, et sans doute – pour parvenir à articuler plus finement régulation collective, aspirations individuelles et contraintes des entreprises –, une réflexion plus poussée sur le droit : comment développer des droits individuels (droit à la formation tout au long de la vie, droits de tirage sociaux assis sur un état professionnel de la personne) dans un cadre collectif ? Comment repenser un droit du travail et un droit social qui rendent possible une telle articulation ?

Dominique Méda,
Responsable de la Mission animation de la Recherche à la DARES,
ministère de l'Emploi et de la Solidarité

La société française contemporaine
Cahiers français n° 291

Activité, Travail, Emploi

9

(26) « Il n'est plus possible de prétendre envisager la réglementation du temps de travail du seul point de vue de l'entreprise ou de l'organisation du travail salarié. Toute réglementation ou déréglementation de l'organisation du temps de travail met en jeu la trame, à la fois individuelle et collective, de la vie humaine... », Alain Supiot, *Au delà de l'emploi*, Paris, Flammarion, 1999.

(27) Voir sur ces derniers points Dominique Méda, *Qu'est-ce que la richesse ?*, Paris, Aubier, 1999.

Famille

Depuis le début des années 70, le modèle familial du couple marié est en déclin constant. De plus en plus de Français le refusent, en retardent la réalisation ou le brisent au bout de quelques années. A la diversification des modèles matrimoniaux s'ajoute aujourd'hui une fragilisation des liens conjugaux dont témoigne l'accroissement du célibat et des familles monoparentales. Mais dans le même temps, la parentèle, c'est-à-dire le réseau des parents, joue un rôle de plus en plus important dans la vie des individus.

C. F.

La société française contemporaine
Cahiers français
n° 291

Famille

Diversification des modèles matrimoniaux

Les années 50 et 60 ont été l'âge d'or du mariage, à la fois par l'intensité de la nuptialité et la précocité croissante des unions. Le divorce était un phénomène très minoritaire jusqu'en 1964, en légère croissance par la suite, mais qui demeurait quantitativement faible : pour un divorce, on comptait environ sept mariages.

Le déclin du mariage

Depuis le début des années 70, le nombre des mariages baisse tendanciellement, malgré une courte reprise de 1987 à 1990 du fait d'un rattrapage peut-être dû à la reprise économique et à la baisse du chômage. En vingt ans, la baisse du mariage est de 45% pour les deux sexes (Daguet, 1990). Dans le même temps, le divorce a progressé très régulièrement à partir de 1964, soit dix ans avant la loi de 1975 sur le divorce par consentement mutuel, qui a offert un cadre juridique adapté à des pratiques déjà anciennes. En 1994, seuls 254 000 mariages ont été célébrés et plus de 110 000 divorces prononcés : le rapport est donc pratiquement devenu de un à deux (Sardon, 1996). De plus, les Français se marient de plus en plus tard, sans doute du fait de l'allongement de la durée des études et du chômage. En 1975, l'âge du premier mariage était 24,5 ans pour les hommes et 22,5 pour les femmes. En 1995, il est respectivement de 28,7 et 26,7 ans. Par ailleurs, le nombre des divorces est de moins en moins compensé par les remariages dont le nombre

reste stable. En 1975, 45% des hommes et 37% des femmes divorcés étaient remariés cinq ans plus tard, moins d'un quart aujourd'hui (25% chez les hommes, 22% chez les femmes).

Le déclin du mariage se mesure également au fait qu'il n'est plus le préalable nécessaire à la procréation : les naissances hors mariage croissent régulièrement depuis le milieu des années 60, cette croissance ayant été particulièrement forte dans les années 80. En 1994, ce sont 36% des enfants qui naissent ainsi, contre moins de 6% au début des années 60 (Couet, 1996). Cela étant, la présence d'enfants demeure plus fréquente lorsque le couple est marié : au sein des ménages de moins de 35 ans, les couples mariés ont deux fois plus souvent des enfants.

Globalement, parce que les Français se marient moins souvent, de plus en plus tard, et de façon de moins en moins définitive, le modèle familial du couple marié stable est donc remis en question, même si le très fort mouvement de baisse des mariages et d'augmentation des divorces des années 1970-1985 s'est nettement ralenti depuis. Avec 4,4 mariages pour 1 000 habitants, la France partage avec la Suède la nuptialité la plus basse de toute l'Europe. Au recensement de 1990, pour la première fois depuis la guerre, le nombre de couples mariés est en baisse alors que la population française continue de croître. Depuis le début des années 80, on compte en effet chaque année plus de mariages dissous par décès ou divorce que formés.

La remise en cause du modèle familial traditionnel

Depuis 1970, l'union libre est en progrès constant chez les jeunes, chez les divorcés et chez les veufs. Le pourcentage de couples non mariés est ainsi passé de 3% en 1970 à 14% en 1993 (tableau 1). Pour les générations nées après la guerre, la cohabitation hors mariage est devenue la norme de l'entrée dans la vie de couple, et ce phénomène n'a fait que se renforcer. En 1965, 10% des nouveaux couples cohabitaient, en 1995 ils le font à 90%. De moins en moins de cohabitations se transforment en mariage : 83% dans les années 70, 62% dans les années 80 (Toulemon, 1996). Enfin, le phénomène est de moins en moins une caractéristique des jeunes et des couples sans

1. Évolution de la répartition des couples mariés et non mariés
(en %)

	1968	1975	1982	1990	1993
Couples mariés	97,1	97,2	93,7	87,5	86
Couples non mariés	2,9	2,8	6,3	12,5	14

Source : INSEE, Calculs Saboulin et Thave, « La vie en couple marié : un modèle qui s'affaiblit », in Données sociales 1993, Paris, INSEE.

enfants. En 1990, un quart des couples avec 1 enfant et où le père a moins de 40 ans ne sont pas mariés (et encore 10% pour les couples avec 2 enfants). Le modèle du concubinage est donc devenu un mode de vie, une véritable alternative au mariage. En outre l'apparition de couples non cohabitants rend les statistiques moins fiables.

Cela étant, depuis le milieu des années 80, le concubinage ne croît plus de façon assez rapide pour compenser la chute du mariage. A son tour, il apparaît de plus en plus fragile : 32% des unions libres formées vers 1980 étaient rompues dix ans plus tard contre 24% lors de la décennie précédente. Certes, le phénomène des familles recomposées compense en partie les dissolutions de couples. Au recensement de 1990, on dénombrait 660 000 familles recomposées élevant 512 000 enfants du couple recomposé et 950 000 enfants des familles précédentes, soit une augmentation de 20% au cours des années 80 (Meulders-Klein et Théry, 1993). Toutefois, ces recompositions ne suffisent pas à freiner la hausse du célibat et des familles monoparentales. L'augmentation des familles recomposées est due à la forte hausse des divorces qu'elle ne compense pas, car les divorcés se remarient de moins en moins et de plus en plus tard. Les pourcentages d'hommes et de femmes remariés dans les cinq ans suivant leur divorce ont même chuté de près de moitié entre 1975 et 1985.

La fragilisation des liens conjugaux

En 1990, à 35 ans, 22% des hommes et 20% des femmes sont encore célibataires. Chez les hommes, les taux de célibat les plus forts se rencontrent chez les cadres et professions intellectuelles supérieures avant 35 ans (en raison de la durée des études), chez les ouvriers et les agriculteurs ensuite. Chez les femmes cadres et de professions intermédiaires, les célibataires sont nombreuses, quel que soit l'âge. De leur côté, les familles monoparentales ont augmenté de 63% en vingt ans. Elles touchent principalement les femmes (85% des cas). Et surtout, ainsi que le montre le tableau 2, elles résultent aujourd'hui principalement du célibat et du divorce et non plus du veuvage.

Globalement c'est donc la vie en couple qui est de moins en moins fréquente (figure 3). En 1990, sur 21,5 millions de ménages, 13,7 millions sont des couples mariés ou non (63,5%), 5,8 millions sont des célibataires (27%) et 1,2 million sont des familles monoparentales (5,5%).

3. Évolutions cumulées des diverses situations de couples et de célibat
(en % dans l'ensemble des ménages)

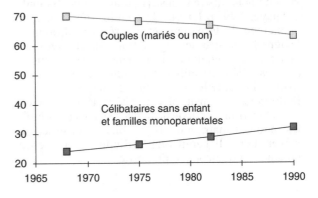

Source : INSEE, recensement de la population.

Cette évolution caractérise surtout les agglomérations de plus de 20 000 habitants et fait de Paris « la capitale de la solitude » puisque la moitié des ménages y sont constitués d'une personne seule (Durr, 1996 ; Lavertu, 1996). Elle correspond pour partie à un déplacement des frontières de la jeunesse. Toutefois, dans la tranche d'âge des 30-40 ans qui correspond à la période clef de l'établissement dans la vie, on observe le même phénomène dans des proportions réduites (tableau 4).

2. L'état matrimonial des familles monoparentales
(en %, pour l'ensemble des deux sexes)

	1968	1975	1982	1990
Célibataires	8,1	11,1	15,4	21,2
Séparés	20,9	21,2	14,9	15,9
Divorcés	16,8	24,3	38,4	45,8
Veufs	54,2	43,4	31,3	20,1

Source : INSEE, Recensement, calculs Benveniste, Soleilhavoup, « Un parent seul dans une famille sur huit », *INSEE-Première*, n°293, 1994.

4. La situation des hommes et des femmes de 30 à 40 ans de 1982 à 1995
(en %)

	Hommes			Femmes		
	1982	1995	Différence	1982	1995	Différence
Couples mariés	80,8	63,5	-17,3	80,7	67,8	-12,9
Unions libres	2,5	13,8	+11,3	1,5	9,9	+8,4
Divorces et veuvage	1,1	2,2	+1,1	1,1	2,5	+1,4
Célibataires	15,7	20,5	+4,8	16,7	19,7	+3

Source : INSEE, Enquête « Emploi », calculs Louis Chauvel.

Outre la diversification des modèles matrimoniaux, il faut donc aujourd'hui parler de fragilisation des liens conjugaux, puisque les divorcés, les célibataires et les familles monoparentales sont les catégories qui ont le plus augmenté depuis vingt-cinq ans, et que les familles recomposées ne compensent qu'en partie ce phénomène. Cette fragilisation des liens conjugaux est un facteur supplémentaire du risque de pauvreté pour les femmes qui élèvent seules leurs enfants et qui se trouvent de surcroît en situation d'emploi précaire ou de chômage. Au-delà de la « désinstitutionnalisation » du mariage et des repères normatifs qui y étaient associés, c'est plus profondément la vie en couple qui est partiellement mise en cause (Lefranc, 1995 ; Saboulin et Thave, 1993). La vie de couple, très largement émancipée de la parenté et des rôles traditionnels, devient le théâtre de négociations successives à la recherche d'un équilibre (Kaufmann, 1993). La justice a du reste déjà assimilé cette évolution en faisant du droit à la famille un champ de négociations et d'arbitrages purement privés (Théry, 1993). S'agit-il cependant d'une période de transition dans l'évolution des modèles matrimoniaux, ou bien d'un processus irréversible ? Il paraît bien difficile de faire en ce domaine un quelconque pronostic.

Le renforcement du rôle de la parenté

L'allongement de l'espérance de vie, la baisse de la fécondité et la multiplication des ruptures d'union libres et des divorces, suivis ou non de nouvelles unions ou de remariages, ont transformé le réseau de parenté des Français.

Allongement et extension de la parentèle

La fécondité plus élevée d'autrefois assurait une parentèle plus étendue même si, compte tenu de la plus forte mortalité, les générations coexistantes étaient moins nombreuses : « Autrefois, à 20 ans, un individu avait près de deux fois plus de frères et sœurs qu'aujourd'hui et 15 cousins et cousines germains au lieu de 9. Aujourd'hui, par contre il connaît plus souvent ses grands-parents et garde ses parents plus longtemps » (Gokalp, 1984). Ses chances de connaître au moins un arrière-grand-parent ont augmenté (un Français sur quatre de 45 à 64 ans appartient à une parentèle composée de quatre générations). Ce fait est important puisque l'on sait que c'est le plus souvent le décès de l'ancêtre commun qui entraîne la segmentation des lignées. S'il vit plus longtemps, la lignée s'allonge d'une génération et les relations entre collatéraux perdurent davantage.
[...]
La parenté s'étend également du fait des recompositions familiales qui suivent les séparations de couples (Meulders-Klein, Théry, 1993). Il est de moins en moins rare qu'un enfant ait des demi voire quasi-frères ou sœurs, des beaux-parents et des beaux-grands-parents. Dans une famille recomposée, elle se dédouble entre une parentèle de sang et une parentèle d'alliance et l'enfant peut faire des choix entre les lignées de ses parents et/ou de ses beaux-parents. La parentèle n'étant plus le résultat d'une alliance stable entre seulement deux lignées, elle laisse une grande latitude d'investissements relationnels privilégiés entre différentes personnes et différentes lignées. Elle devient un réseau complexe où les échanges peuvent faire l'objet de stratégies. Les aïeux ne sont donc plus les seuls à pouvoir manipuler le lignage et ils doivent de plus en plus négocier avec les enfants, qui dans le même temps font l'apprentissage des subtilités du comportement stratégique au sein d'un réseau : comment se rendre imprévisible, se poser en intermédiaire obligé, nouer des alliances, etc. Dans ce fonctionnement en réseau, la négociation s'institue là où l'on ne connaissait bien souvent que l'autorité et le cloisonnement.

Les familles monoparentales révèlent l'importance croissante du lien mère-fille, et des lignées féminines. Pour surmonter les contraintes contradictoires de leur métier et de leurs tâches éducatives, nombre de mères célibataires font fréquemment appel à leur mère pour les aider. L'enfant est alors élevé à cheval sur deux foyers. Devenues grands-mères, elles joueront certainement plus tard le même rôle pour leur fille. Le droit a très rapidement évolué et a même d'une certaine manière anticipé ces changements. Les droits des enfants légitimes et illégitimes reconnus sont aujourd'hui identiques, ce qui signifie qu'il est admis qu'un homme peut avoir plusieurs femmes ; et une femme plusieurs hommes. Le choix du patronyme n'est plus nécessairement un nom lié à un lignage et un ancêtre commun. Ainsi passe-t-on progressivement d'une centration sur le père à une centration sur la mère. Les lignées féminines prennent la prééminence, un peu comme dans la famille traditionnelle des Caraïbes, où les femmes, qui ont des enfants avec des compagnons successifs plus ou moins stables, assurent la continuité du lignage.

L'importance du réseau de parenté

La crise du mariage traditionnel, comme union indissoluble, et la montée du désir d'autonomie de chaque conjoint (de Singly, 1993 et 1996), comme conséquence de l'individualisme régnant, ont finalement davantage transformé que fragilisé les relations au sein du réseau de parenté. Peut-être même cela a-t-il eu l'effet inverse, en raison du besoin accru de soutien familial. Imperturbablement les sondages (figure 5) révèlent d'année en année que la famille est le cadre de sociabilité où ils se sentent le mieux, bien avant les amis ou l'entreprise. Les lieux de résidence des différentes générations sont d'ailleurs révélateurs de ce sentiment.

La société française contemporaine
Cahiers français
n° 291

Famille

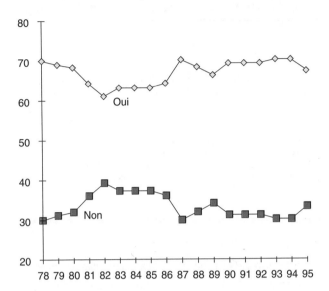

Source : CREDOC.

Proximité spatiale

Traditionnellement, la famille nucléaire est néolocale : la formation du couple se traduit par l'occupation d'une résidence différente de celle des parents. Cette décohabitation des générations s'est renforcée après la Seconde Guerre mondiale avec l'abaissement de l'âge moyen au mariage, l'exode agricole et le maintien d'une situation durable de plein-emploi. En 1992, seulement 10% des plus de 60 ans cohabitent avec d'autres membres de leur famille contre 20% il y a trente ans (Gissot, 1992).

Cependant, au moins trois facteurs amènent à nuancer quelque peu cette tendance à la décohabitation. Tout d'abord les enfants adultes vivent en majorité à proximité d'au moins un de leurs parents, c'est-à-dire à moins d'une demi-heure de trajet ou à moins de 20 km (Roussel et Bourguigon, 1976). Or, plus la distance augmente, moins les relations en face à face ou les activités partagées sont fréquentes (Cribier, 1989). Il est difficile de savoir très exactement comment la distance entre foyers des membres de la même parentèle a évolué, mais tout porte à croire qu'il n'y a pas eu de variation sensible sur ce point au cours des vingt dernières années. Les contacts téléphoniques ont par ailleurs largement pris le relais des relations épistolaires qui tombent en désuétude. Un modèle d'intimité à distance (Rosenmayr et Kokeis, 1963) caractérise les nouvelles relations de parenté des sociétés urbaines. La décohabitation avait répondu aux attentes nouvelles d'autonomie des uns et des autres,

mais n'avait pas entamé pour autant la forte intensité des liens entre générations. Enfin, depuis une dizaine d'année, l'allongement de la durée des études, le développement de la précarité et du chômage notamment chez les jeunes amènent ces derniers à vivre plus longtemps chez leurs parents. Mais la norme continue d'être l'aspiration à un logement indépendant, exprimée par la moitié des jeunes vivant encore chez leurs parents (Attias-Donfut, 1995).

Le développement des échanges économiques

Les études portant sur les échanges économiques au sein de la parentèle soulignent toutes la vitalité et l'importance du réseau de parenté, aussi bien du point de vue des individus que macrosocialement. Avec l'extension du salariat, l'héritage n'est plus le préalable indispensable à l'installation professionnelle, il n'en demeure pas moins un indicateur important des relations économiques entre générations. Environ deux tiers des Français recevront un patrimoine et un cinquième une donation au cours de leur vie. Non seulement on hérite plus souvent qu'autrefois, mais le patrimoine transmis constitue une part plus importante du patrimoine possédé (à peu près 40%), part qui augmente avec l'âge à l'héritage. La généralisation des donations est sans doute pour partie due à l'évolution favorable de la fiscalité. Du fait de l'allongement de la vie, on hérite plus tard (à 42 ans en moyenne) et cet héritage peut alors servir à aider ses propres enfants à s'installer. Les montants sont très disparates : 10% des successions représentent plus de 50% du patrimoine hérité. Les biens transmis se composent pour moitié du logement. La valeur moyenne du logement transmis d'un cadre supérieur est près de trois fois supérieure à celle d'un employé. Le patrimoine moyen transmis par un indépendant est d'environ 1 million de francs alors que celui d'un ouvrier est de 200 000 francs.

Les rapports économiques au sein de la parentèle ne se réduisent pas aux seules successions. Des aides de toute nature remontent et descendent les lignées, soit pour pallier une difficulté de la vie normale, soit pour rechercher une amélioration du statut social ou à tout le moins un maintien (Pitrou, 1992 ; Déchaux, 1994). Les aides financières entre parents peuvent prendre la forme de dons, de prêts, voire de « rentes ». Cette aide concerne déjà les plus jeunes puisque 58% des 14 à 20 ans reçoivent régulièrement de l'argent de poche. Plus tard, une aide réapparaît lors de circonstances difficiles pour de gros (automobiles) ou de plus petits équipements du ménage (appareils électroménagers). L'achat du logement est l'occasion de l'aide la plus massive et ce sont les jeunes qui en bénéficient le plus.

Les cadeaux de fin d'année, qui sont rituellement les plus importants, partent des plus âgés pour aller vers les plus jeunes, enfants bien sûr mais aussi jeunes ménages. La famille de l'épouse dépense 30% de plus que celle de l'époux, ce qui marque un changement par rapport à la situation du milieu des années 80 où ces deux dépenses étaient à peu près équivalentes

La société française contemporaine
Cahiers français
n° 291

Famille

(Herpin et Verger, 1996). Cet indicateur va dans le sens de la centration accrue sur la relation mère-fille évoquée plus haut.

Les grands-parents, surtout les grands-mères, rendent de multiples services à leurs enfants adultes, au premier rang desquels vient la garde de leurs petits-enfants : 40% des grands-parents ayant des petits-enfants de moins de 12 ans les gardent pendant les vacances ou en cours d'année et plus de 25% des mères ayant des enfants en bas âge les font garder par leurs grands-parents. Cette aide est d'autant plus précieuse que si les femmes sont de plus en plus nombreuses à exercer une activité professionnelle, de moins en moins l'interrompent à la suite d'une maternité. Dans ce contexte, les valeurs des grands-parents sont directement transmises aux enfants et se confrontent avec celles des parents qui ne sont pas nécessairement identiques, ne serait-ce qu'en raison du décalage entre générations ou entre situations d'activité et d'oisiveté.

La parenté joue de toute manière un rôle dans la transmission des « capitaux culturels ».

[...]

Au total, même si l'État-providence a pris en charge nombre de fonctions autrefois dévolues à la famille (assurances vieillesse, chômage ou maladie), il reste que la parenté demeure un support d'échanges économiques indispensable. (*)

Louis Dirn
(Michel Forsé, Henri Mendras, Louis Chauvel,
Michel Lallement, Laurent Mucchielli)

(*) Extraits choisis par la Rédaction des *Cahiers français* de *La société française en tendances 1975-1995*, Louis Dirn (ouvrage collectif), Paris, PUF, coll. « Sociologie d'aujourd'hui », 1998, pp. 221-235. Le titre et les intertitres sont de la Rédaction des *C. F.*

Bibliographie

Attias-Donfut C., 1995, « En France : corésidence et transmission patrimoniale », *in* **M. Gullestad** et **M. Ségalen** (dir.), *La famille en Europe*, Paris, La Découverte.

Benveniste C., Soleilhavoup J., 1994, « Un parent seul dans une famille sur huit », *INSEE-Première*, n°293.

Bonvalet C., Maison D., Le Bras H., Charles L., 1993, « Proches et parents », *Population*, 1.

Couet C., 1996, « Les naissances hors mariage », *in Données sociales 1996*, Paris, INSEE.

Cribier F., 1989, « Les vieux parents et leurs enfants : une génération de parents parisiens quinze ans après la retraite », *Gérontologie et société*, 48.

Daguet F., 1996, « Mariage, divorce et union libre », *INSEE-Première*, n°482.

Déchaux J.-H., 1994, « Les trois composantes de l'économie cachée de la parenté : l'exemple français », *Recherches sociologiques*, 3, pp. 37-52.

Durr J.-M., 1992, « Six millions de personnes seules », *INSEE-Première*, n°200.

Gissot C., 1992, « Les personnes âgées apportent aujourd'hui une aide non négligeable à leurs descendants », CERC, *Notes et graphiques*, 18.

Gokalp C., 1984, « Le réseau familial », *in Données sociales 1984*, Paris, INSEE.

Herpin N. et Verger D., 1996, « Les cadeaux de fin d'année. Fête de l'enfance ou de la famille ? », *INSEE-Première*, 426.

Kaufmann J.-C., 1993, *Sociologie du couple*, Paris, PUF.

Lavertu J., 1996, « La famille dans l'espace français », *in Données sociales 1996*, Paris, INSEE.

Lefranc C., 1995, « Le mariage en déclin, la vie de couple aussi », *INSEE-Première*, n°392.

Leridon H., Villeneuve-Gokalp C., 1994, *Constances et inconstances de la famille*, Paris, INED.

Meulders-Klein M.-T., Théry I. (dir.), 1993, *Les recompositions familiales aujourd'hui*, Paris, Nathan.

Pitrou A., 1992, *Les solidarités familiales*, Toulouse, Privat.

Rosenmayer L., Kokeis E., 1963, « Essai d'une théorie sociologique de la vieillesse et de la famille », *Revue internationale des sciences sociales*, vol. 15, n°2.

Roussel L., Bourguignon O., 1976, « La famille après le mariage des enfants : une étude des relations entre générations », Paris, INED, PUF, coll. « Travaux et documents », 78.

Saboulin M. de, Thave S., 1993, « La vie en couple marié : un modèle qui s'affaiblit », *in Données sociales 1993*, Paris, INSEE.

Sardon J.-P., 1996, « L'évolution du divorce en France », *Population*, n°3.

Singly F. de :

- 1993, *Sociologie de la famille*, Paris, Nathan, coll. « 128 » ;

- 1996, *Le soi, le couple et la famille*, Paris, Nathan.

Théry I., 1993, *Le démariage*, Paris, Odile Jacob, 1993.

Toulemon L., 1996, « La cohabitation hors mariage s'installe dans la durée », *Population*, 3.

Jeunesse et entrée dans la vie active

La jeunesse – période du cycle de vie comprise entre la fin des études secondaires et l'installation dans la vie adulte (travail et famille) – est maintenant plus tardive, plus longue et moins articulée autour d'étapes irréversibles, clairement définies. La fin des études, le service militaire, le départ de chez les parents, la vie en couple, l'insertion dans le monde professionnel et la naissance des enfants étaient autant d'étapes d'entrée dans la vie adulte qui se succédaient régulièrement. Dans les années 60, du haut au bas de la pyramide sociale, à vingt-cinq ans tout le monde avait quitté sa famille d'origine, était « établi », c'est-à-dire embauché dans un emploi stable, et marié. Depuis 1970 environ, ce calendrier est complètement perturbé, les dates de franchissement des différentes étapes sont plus tardives et se succèdent dans un ordre de moins en moins régulier.

Les principales évolutions

L'allongement de la scolarité, l'élévation du taux de chômage, la diversification des formes d'emploi et la précarisation du contrat salarial, ainsi que la diversification des modèles matrimoniaux sont autant de tendances qui concernent plus particulièrement les jeunes. Selon les évaluations de l'« Enquête Emploi » de l'INSEE, entre 1982 et 1994, des modifications importantes sont observées :

- l'âge médian de fin d'études passe de 19 ans et 3 mois à 22 ans ; la prolongation des études, qu'elle soit la conséquence d'un choix positif (l'acquisition de compétences et de capital humain) ou négatif (la prise plus tardive de la responsabilité professionnelle ou familiale, faute de moyens), est la source majeure de l'allongement de la jeunesse, en retardant l'autonomie financière ;

- l'âge médian d'installation dans un logement indépendant passe de 23 ans à 24 ans ; de tous les indicateurs, il a le moins varié, impliquant, par comparaison avec l'âge de fin d'études, une proportion plus importante d'étudiants indépendants dans leur logement, mais aussi, par comparaison avec l'âge médian de vie en couple, une augmentation de la proportion des célibataires ;

- l'âge médian d'obtention d'un emploi passe de 21 ans et 6 mois à 24 ans ; et pour un emploi stable (contrats à durée indéterminée, titulaires de la Fonction publique ou emploi indépendant), de 22 à 25 ans et 3 mois ; le taux de chômage des 25 à 28 ans croît quant à lui de 8,0 à 17,5% ; la durée d'insertion dans l'emploi est de plus en plus longue, et les difficultés financières qui s'ensuivent (faibles salaires, irrégularité des revenus, chômage moins favorablement indemnisé, voire sans indemnité, que pour la population d'âge plus avancé) induisent une élévation des taux de pauvreté de la population jeune, et tout particulièrement chez les jeunes parents. Par ailleurs, d'une façon générale, les revenus des jeunes n'ont pas suivi la hausse connue par les autres classes d'âge, ce qui induit aussi une dépendance plus forte à l'égard de la parentèle lorsque celle-ci est susceptible d'apporter une aide en nature ou en numéraire, ce qui n'est pas toujours le cas.

- l'âge médian de formation d'un couple passe de 24 à 25 ans et 8 mois et celui de la naissance d'un premier enfant de 26 ans et 5 mois à 29 ans. Le couple, qui s'instituait naguère avec le mariage qui précédait normalement la première naissance, ne se stabilise vraiment, maintenant, qu'avec la conception d'un enfant. Une période de concubinage est donc apparue dans toutes les catégories sociales, à quelques différences près. L'écart temporel s'allonge entre la formation des couples et la naissance du premier enfant.

Incertitude et instabilité

Même si les étapes ne sont pas franchies au même âge par les hommes et les femmes, les évolutions sont parallèles pour les deux sexes.

D'une part, ces différentes étapes sont moins articulées les unes aux autres : elles se succèdent moins mécaniquement, créent une période intermédiaire et incertaine dans toutes les catégories sociales, et conduisent à la multiplication des situations naguère atypiques, comme les parents en emploi précaire, les titulaires d'un emploi stable sans conjoint ou habitant chez leurs parents, etc.

D'autre part, les caractéristiques du modèle adulte (emploi stable et famille constituée d'un couple et d'enfants) adviennent de plus en plus tardivement, dans le cycle de vie. De plus, elles sont réversibles. L'emploi stable étant plus menacé que naguère (chômage et contrats précaires), une certaine proportion d'adultes est conduite à une réinsertion professionnelle continue, en cours de carrière, voire à une série de réinsertions jamais achevées, comme c'est le cas pour 25% des sans diplôme. Pour autant, tous niveaux d'étude confondus, 85% de la population accède à l'emploi stable dès l'âge de 30 ans. Mais cet emploi stable dissimule une mobilité professionnelle croissante, avec plus de changements d'entreprises. L'autre source d'instabilité, qui concerne toutes les populations, est familiale. Les divorces et les ruptures conjugales conduisent les hommes et les femmes à cette alternative : reconstruction d'une cellule familiale « normale », avec un autre partenaire, ou rester sans conjoint ; il existe pour de nombreuses personnes une oscillation entre les deux conditions. L'entrée dans la vie adulte est donc plus souvent réversible, et les retours en arrière sont plus fréquents, vers des caractéristiques qui sont propres à la jeunesse. Par conséquent, il n'est plus possible de poser la frontière entre jeunesse et âge adulte à 25 ans, celle-ci ayant des limites plus tardives et subtiles.

Cette évolution s'accompagne aussi d'une transformation profonde de la valorisation des âges de la vie. Aujourd'hui, les adultes veulent paraître jeunes, sans nécessairement renoncer aux responsabilités et aux avantages de leur âge. La mobilité affective, et l'ajournement perpétuel de la prise de responsabilité professionnelle comme mode de vie sont aussi moins marginaux. Il en résulte que la césure entre jeunes et adultes se brouille, ce qui fragilise l'identification sociale des jeunes. (*)

Louis Dirn
(Michel Forsé, Henri Mendras, Louis Chauvel,
Michel Lallement, Laurent Mucchielli)

La société française contemporaine
Cahiers français n° 291

Famille

15

(*) Extrait choisi par la Rédaction des Cahiers français de Louis Dirn (ouvrage collectif), La société française en tendances 1975-1995, Paris, PUF, coll. « Sociologie d'aujourd'hui », 1998, pp. 35-38. Le titre et les intertitres sont de la Rédaction des C. F.

Féminisation du monde du travail

La société française contemporaine
Cahiers français
n° 291

Féminisation du monde du travail

Avec le développement de l'activité féminine depuis le début des années 60, on observe une certaine homogénéisation des comportements d'activités masculins et féminins. La progression de l'activité féminine représente ainsi une mutation sociale majeure en ce qu'elle permet l'accès de la majorité des femmes à l'autonomie économique. Elle s'accompagne toutefois, comme le montre ici Margaret Maruani, d'une persistance et d'une résistance des inégalités. Mais ces inégalités se recomposent aussi car l'écart se creuse entre les actives elles-mêmes.

C. F.

Maîtrise de la procréation, progression spectaculaire de l'activité et des scolarités féminines : les quatre dernières décennies de ce siècle ont été, pour les femmes, porteuses de changements marquants. Sont-ils décisifs ? Ces mutations majeures, sortes de révolutions dans le paysage social contemporain, ont-elles débouché sur une redéfinition du statut des hommes et des femmes dans la société, sur une reconfiguration des rapports sociaux entre les sexes ? Ont-elles ébranlé les fondements de ce que l'on nomme la domination masculine ?

Il est bien difficile, impossible même, de donner des réponses générales et définitives. On tentera ici de poser la question des inégalités de sexe dans la société à partir d'une réflexion sur la place des hommes et des femmes dans le monde du travail. Avec l'idée que le statut de l'un et l'autre sexe dans la société peut se lire, d'une certaine façon, à partir des positions qu'ils occupent dans le monde du travail.

Or, de ce point de vue précisément, aucun constat simple n'est possible : davantage de femmes actives, salariées, instruites mais aussi plus de chômeuses, de salariées précaires et en sous-emploi. Les comportements d'activité masculins et féminins se rapprochent, mais les inégalités professionnelles et familiales s'incrustent.

Partant de ces observations, deux lectures des faits sont possibles. On peut dire, avec raison, que tout a changé. On peut affirmer, non sans raisons, que rien n'a bougé. Le point de vue adopté ici sera de refuser cette alternative simpliste pour tenter de repérer, sur chacun des grands thèmes abordés, les progressions, les stagnations et les régressions. Le verre n'est ni à moitié vide, ni à moitié plein. Il est empli d'ingrédients qui ne se mélangent ni ne se confondent.

L'essor de l'activité féminine

La présence des femmes dans le monde du travail n'est évidemment pas nouvelle. Les femmes ont toujours travaillé, en France comme partout ailleurs. Mais dans la période récente, les formes et le volume de cette activité se sont considérablement modifiés.

Depuis le début des années 60, on assiste à une croissance continue et soutenue des taux d'activité féminins. En 1962, les femmes représentaient un tiers de la population active de la France. Elles en constituent aujourd'hui près de la moitié : en 1998, 45% des actifs sont des actives.

Les transformations de l'activité féminine

Au-delà du saut quantitatif, ces chiffres recèlent plusieurs mutations structurelles.

Ils nous disent tout d'abord le **rééquilibrage de la part des sexes** sur le marché du travail. Au début des années 60, 13,2 millions d'hommes et 6,6 millions de femmes étaient actifs (tableau 1). Une différence du simple au double les séparait. En 1998, la différence existe toujours, mais elle s'est considérablement réduite : 14,1 millions d'hommes et 11,7 millions de femmes sont sur

1. La population active de la France de 1962 à 1998
(effectifs en millions)

Années	Hommes	Femmes	Ensemble
1962	13,2	6,6	19,7
1968	13,6	7,1	20,7
1975	13,9	8,1	22,0
1982	14,2	9,6	23,8
1990	14,2	11,1	25,3
1998	14,1	11,7	25,8

Sources : INSEE, recensements de la population pour la période de 1962-1990 et Enquête Emploi pour 1998.

le marché du travail. Entre 1962 et 1998, le nombre d'hommes au travail a augmenté d'un million, celui des femmes de cinq millions. Depuis plus de trois décennies, le renouvellement des forces de travail s'est fait, pour l'essentiel, par la croissance de l'activité féminine.

La seconde évolution structurelle a trait à la **féminisation du salariat**. Dans la France contemporaine, les femmes sont relativement davantage salariées que les hommes : 90% des femmes qui travaillent sont salariées, contre 84% des hommes (1). Or le salariat constitue pour les femmes, on le sait, un travail véritablement indépendant – au sens où il déconnecte le statut familial du statut professionnel.

Le troisième fait notable réside dans la **transformation des comportements d'activité féminins**. Les trajectoires professionnelles des femmes, autrefois discontinues, marquées par des temps d'arrêt à l'âge de la maternité et de l'éducation des enfants, sont aujourd'hui devenues continues. La majorité des femmes ne cessent plus de travailler lorsqu'elles ont des enfants. En 1962, 42% des femmes âgées de 25 à 49 ans étaient actives. En 1998, 79% d'entre elles le sont (2). Le modèle dominant est donc bien désormais celui de l'activité continue, celui du cumul du travail professionnel et de la vie familiale. De ce point de vue, il s'agit d'une homogénéisation des comportements d'activité masculins et féminins.

On assiste donc à une percée massive des femmes sur le marché du travail à une période où l'emploi se fait rare. Dans l'histoire du salariat, c'est une première que de voir les femmes affluer dans le monde du travail en temps de chômage. La pénurie d'emploi qui affecte la France depuis plus de vingt ans n'a donc en rien freiné ce mouvement d'accès des femmes à l'autonomie économique. En termes de liberté, il s'agit d'une avancée décisive. Mais qu'en est-il de l'égalité (3) ?

Une recrudescence des inégalités hommes-femmes

Les années qui ont vu se développer la féminisation de la population active sont aussi celles qui ont connu la montée du chômage et du sous-emploi. Et la recrudescence des inégalité entre hommes et femmes. Inégalités ? Le sur-chômage féminin s'est incrusté dans le paysage social. Il est inscrit dans les statistiques de l'emploi à la manière d'une constante structurelle. En 1975, le taux de chômage des hommes s'établissait à 2,7%, celui des femmes à 5,3%. En 1998, 10,2% des hommes et 13,8% des femmes sont au chômage (4). Face au risque de chômage, l'inégalité entre hommes et femmes est avérée. Elle se retrouve à tous âges et dans toutes les catégories sociales.

Elle est encore plus patente lorsque l'on aborde la question du sous-emploi, c'est-à-dire des personnes qui travaillent moins que ce qu'elles souhaiteraient. A l'instar du chômage, le sous-emploi est fortement sélectif. Par le biais du travail à temps partiel, il touche massivement les femmes. 82% des personnes qui travaillent à temps partiel sont des femmes. Sur l'ensemble, 1,1 million de femmes et 360 000 hommes se sont déclarés en sous-emploi dans l'enquête sur l'emploi de l'INSEE de mars 1998. Au bout de trente ans d'homogénéisation des comportements d'activité féminins et masculins, le travail à temps partiel a recréé des zones et des formes d'emploi spécifiquement féminines.

Le sur-chômage et le sous-emploi se révèlent être ainsi le revers de la féminisation de la population active. Ajoutons à cela que la reconfiguration de la place des hommes et des femmes sur le marché du travail n'a pas fondamentalement modifié la répartition du travail domestique. Dans l'univers professionnel, les femmes s'activent presque autant que les hommes. Dans la sphère domestique, elles conservent le quasi-monopole du travail. Selon les premiers résultats de l'enquête « Emplois du temps » de l'INSEE, en 1998, les femmes assurent 80% de la production domestique (5).

La percée des scolarités féminines

Scolarité et activités féminines

« Pour l'instruction des femmes, le grand siècle c'est le XXᵉ ». Ainsi commence l'ouvrage *Allez les filles !* publié en 1992 par Christian Baudelot et Roger Establet. On ne retracera pas ici le chemin parcouru de Julie-Victoire Daubié, première bachelière (1861) à Anne Chopinet, première polytechnicienne (1972). L'inscription des filles aux différents échelons du système scolaire n'est pas récente. Elle s'est faite tout au long du siècle. Mais à partir des années 70, un fait nouveau apparaît : la réussite scolaire et universitaire des filles. Depuis cette date, en effet, il y a plus de bachelières que de bacheliers et plus de filles que de garçons parmi les diplômés de l'université.

Les années qui ont vu l'essor de la féminisation de la population active sont aussi celles qui ont connu la percée des scolarités féminines. Autant dire qu'il ne s'agit pas d'une coïncidence temporelle, mais d'événements sociaux fortement corrélés. Plus les femmes sont instruites, plus elles sont actives (tableau 2 page suivante). Le fait se vérifie partout, en France comme dans tous les pays pour lesquels on dispose de données.

(1) Sources : INSEE, Enquêtes sur l'emploi.
(2) Sources : INSEE, Enquêtes sur l'emploi.
(3) Cf. Geneviève Fraisse, « Entre liberté et égalité » in Ephesia, *La place des femmes, les enjeux de l'identité et de l'égalité au regard des sciences sociales*, Paris, La Découverte, coll. « Recherches », 1995.
(4) Sources : INSEE, Enquêtes sur l'emploi 1998 et *INSEE Résultats* n°610-611, « Marché du travail, séries longues », juin 1998.
(5) Cf. Michel Glaude, « L'égalité entre femmes et hommes : où en sommes-nous ? » in *Égalité entre les femmes et les hommes : aspects économiques*, Complément A du rapport du Conseil d'Analyse Économique n°15, Paris, La Documentation française, 1999.

La société
française
contemporaine
Cahiers français
n° 291

Féminisation
du monde
du travail

18

2. Taux d'activité des femmes âgées de 25 à 39 ans selon le niveau de diplôme en 1983, 1989 et 1995

Niveau de diplômes	1983	1989	1995
Aucun ou CEP	58,0	59,8	65,1
BEPC	74,4	77,6	81,1
CAP ou BEP	75,6	79,4	83,6
Bac BT	78,3	84,1	88,7
Bac + 2	84,7	87,8	92,7
Bac + 3 et plus	84,7	86,9	92,3
Ensemble	69,8	74,4	82,0

Sources : Enquêtes sur l'emploi 1983, 1989, 1995, traitement Cereq. Marlaine Cacouault et Christine Fournier, « Le diplôme contribue-t-il à réduire les différences entre hommes et femmes sur le marché du travail » in Nicole Elloseni (dir.), *Égalité des sexes en éducation et formation*, Paris, PUF, 1998.

Parmi les femmes récemment arrivées sur le marché du travail (25-39 ans), l'effet du diplôme sur l'activité est flagrant. Celles qui n'ont aucun diplôme (ou le CEP) ont des taux d'activité très inférieurs à ceux des femmes de leur classe d'âge (65%). A l'autre extrémité, celles qui ont le niveau bac + 2 ou + 3 ont des taux d'activité quasi identiques à ceux des hommes du même âge (92%).

La persistance d'un « retard féminin »

L'essor spectaculaire des scolarités féminines et son impact en termes d'activité se double cependant d'un phénomène qui le contrarie, le maintien d'une forte ségrégation des filières d'enseignement : davantage de filles en lettres et en sciences humaines, plus de garçons dans les disciplines scientifiques et techniques. Le nombre de filles augmente de façon conséquente dans les grandes écoles commerciales, mais il diminue dans les filières d'excellence (Écoles Normales Supérieures, Polytechnique, etc.) (6).
Comment expliquer cette situation ? Plusieurs hypothèses sont avancées, qui se complètent sans pour autant épuiser la réflexion : surestimation, par les enseignants et/ou par les parents, des capacités masculines ; anticipation, par les filles, de leur avenir professionnel ; effets pervers de la mixité scolaire.
Par ailleurs – il faut bien dire par ailleurs, car la ségrégation scolaire n'explique pas à elle seule le fait – on constate que, sur le marché du travail, la valeur du diplôme n'est pas la même selon qu'il est détenu par un homme ou par une femme. Des travaux récents de l'INSEE montrent que, pour les titulaires du baccalauréat général, au bout de dix ans d'expérience, les chances d'occuper un emploi de cadre sont de 17% pour les hommes et de 8% pour les femmes. Pour les détenteurs d'un diplôme de

deuxième ou troisième cycle universitaire, les chances de devenir cadre sont de 76% pour les hommes et de 57% pour les femmes. Pour les diplômés de grandes écoles, ces chiffres s'établissent à 88% pour les hommes et 76% pour les femmes (7). Le lien entre diplôme et carrière demeure, on le voit ici, bien différent selon le sexe. En termes de « niveau », les filles dépassent désormais les garçons, et ce à tous les étages de l'édifice scolaire et universitaire. En revanche dans la hiérarchie des filières d'enseignement comme dans celle des carrières professionnelles, le « retard féminin » demeure. Mais, précisément, s'agit-il d'un retard ou d'une reconstruction des inégalités sur un fond de mixité ?

Ségrégation, concentration, bipolarisation

Si l'école est mixte, le monde du travail ne l'est toujours pas. Il est parcouru de ségrégations et de discriminations en tous genres. La féminisation de la population active ne s'est pas traduite par une réelle mixité professionnelle. Les emplois féminins restent concentrés dans un petit nombre de métiers et de secteurs traditionnellement féminins. Identifié de longue date (8), ce phénomène de concentration semble même s'accentuer : les six catégories socioprofessionnelles les plus féminisées rassemblaient 52% des femmes en 1983 et 61% en 1998 (9). Il s'agit des employés de la fonction publique, des entreprises et du commerce, des personnels de service aux particuliers, des institutions et des professions intermédiaires de la santé.
La progression de l'activité et des scolarités féminines s'est traduite, sur le marché du travail, par l'accès d'un certain nombre de femmes à des professions qualifiées et par la féminisation massive... des métiers féminins peu valorisés socialement. Le mouvement est donc, là aussi, double.
On a pu voir des professions traditionnellement masculines se féminiser sans perdre de leur valeur sociale. Féminisation ne rime plus systématiquement avec dévalorisation. La croissance du nombre de femmes dans des professions qui demeurent

(6) Cf. Michèle Ferrand, Françoise Imbert, Catherine Marry, *L'excellence scolaire : une affaire de famille ?* Rapport CSU-CNRS, 1997.
(7) Il s'agit ici des personnes ayant entre 30 et 45 ans, et n'ayant connu aucun épisode de chômage ou d'inactivité d'au moins six mois. Cf. Christel Colin, « Carrières et salaires : une comparaison hommes/femmes » *in Égalité entre hommes et femmes : aspects économiques*, Annexe B du rapport du Conseil d'Analyse Économique n°15, Paris, La Documentation française, 1999.
(8) Cf. les travaux de Maryse Huet et notamment « La concentration des emplois féminins », *Économie et Statistiques*, n°154, 1983.
(9) Cf. Michel Glaude, *op. cit.*

prestigieuses – magistrates, avocates, journalistes, médecins, etc. – est là pour signifier que la dévalorisation n'est pas le destin de tout métier qui se féminise. De la même façon, on assiste à une progression soutenue du nombre de femmes cadres, même si l'accès à ces fonctions leur reste plus difficile qu'aux hommes. Les femmes constituent désormais 33% des cadres et professions intellectuelles supérieures (contre 24% en 1982) (10). A l'autre extrémité de la pyramide sociale, l'afflux des femmes actives s'est concentré sur les emplois non qualifiés du tertiaire. Avec le déclin des emplois ouvriers, on assiste en effet à un déplacement des emplois non qualifiés de l'industrie vers les services, des postes d'ouvriers vers ceux d'employés. Dans ce processus, les femmes ont une place centrale : 80% des employés sont des femmes et cette catégorie regroupe près de la moitié des actives. Ajoutons à cela que beaucoup de femmes employées cumulent bas niveau de qualification et précarité de l'emploi. Ainsi en est-il notamment des caissières, vendeuses, aides à domicile, employées du nettoyage, serveuses qui, bien souvent, travaillent à temps partiel avec des statuts d'emploi d'une grande précarité et des horaires de travail éclatés.

La coexistence de ces deux mouvements – concentration d'une grande partie des femmes actives dans les emplois peu qualifiés du tertiaire et croissance des emplois féminins qualifiés – débouche sur le constat d'une bipolarisation beaucoup plus que sur l'observation d'une ségrégation immobile. Une partie des femmes récupère, sur le marché du travail, l'investissement réussi dans le système de formation pendant que la majorité d'entre elles se trouve massée dans le salariat d'exécution. Entre femmes, l'écart se creuse et les inégalités se renforcent.

Inégalités des salaires

L'évolution des inégalités salariales

Tout ceci se retrouve, bien évidemment, au niveau des écarts de salaire entre hommes et femmes. Quand la loi (11) dit « à travail égal, salaire égal », les statistiques montrent un écart de 27% entre l'ensemble des salaires masculins et féminins (12).

Cet écart s'explique, pour partie, par la ségrégation et la concentration des emplois féminins. Pour partie seulement, car lorsque l'on raisonne « toutes choses égales par ailleurs », c'est-à-dire à niveau de formation, catégorie socioprofessionnelle, âge, expériences égales, dans des établissements de la même taille et du même secteur, il reste une différence de l'ordre de 10-15% (13). Ce « reliquat » de 10-15%, que les économistes nomment « résidu », indique l'existence de mécanismes de discrimination qui ne se réduisent pas à la ségrégation et à la concentration des emplois.

Comment ces écarts de salaire ont-ils évolué dans le temps ? Pour observer les faits sur une durée assez longue, on retiendra ici le chiffre des écarts entre salaires masculins et féminins à temps complet. Il apparaît ainsi que l'on passe de 36% en 1950 à 33% en 1970, 28% en 1980 et 23% en 1994 (14). En un peu moins d'un demi-siècle, l'écart s'est donc réduit de 13 points. Le progrès est indiscutablement lent : à ce rythme il nous faudrait attendre près d'un siècle pour atteindre l'égalité. Mais il est indiscutable.

L'importance des bas salaires

En revanche, ce que ces chiffres ne nous disent pas, c'est la montée en puissance des bas et très bas salaires. Ces statistiques nous donnent en effet des moyennes sur des salaires à temps plein. Elles masquent donc les effets de l'essor du travail à temps partiel qui, il faut le rappeler, est un phénomène nouveau dans le paysage français. A la différence d'un certain nombre de pays du Nord de l'Europe, le travail à temps partiel n'appartient pas à l'histoire du travail féminin en France. Il s'est développé depuis le début des années quatre-vingt, sous l'impulsion de politiques fortement incitatives. 1,5 million de personnes travaillaient à temps partiel au début des années 80. Elles sont 3,7 millions en 1998, dont 82% de femmes (15).

Cette croissance du travail à temps partiel a pesé très lourdement sur l'évolution des bas (moins de 4 800 francs par mois) et très bas salaires (moins de 3 600 francs par mois) qui concernent aujourd'hui 3,2 millions de salariés. Une récente étude (16) montre qu'entre 1983 et 1998, la proportion de salariés touchant des bas salaires a notablement augmenté, passant de 11% à 17% de l'ensemble des salariés. Parmi eux, ce sont surtout les emplois à très bas salaire qui se sont multipliés, passant de 5% à 11% du total. Or, cette extension des bas et très bas salaires est quasiment inscrite dans le développement du travail à temps partiel : les trois quarts des emplois à bas salaire sont des emplois à temps partiel, majoritairement occupés par des femmes (78%). De fait, le temps partiel a largement contribué à créer des poches de pauvreté féminine.

Au total donc, on assiste à une évolution contradictoire : du côté des inégalités de salaire globale, une amélioration lente mais évidente ; du côté des bas et très bas salaires, une régression sociale rapide et masquée.

La société française contemporaine
Cahiers français n° 291

Féminisation du monde du travail

19

(10) Sources : INSEE, Enquêtes sur l'emploi.
(11) Il s'agit de la loi du 22 décembre 1972 sur l'égalité de rémunération entre hommes et femmes et de celle du 13 juillet 1983 sur l'égalité professionnelle entre hommes et femmes.
(12) Il s'agit des salaires horaires à temps plein et à temps partiel. Sources : INSEE, Enquêtes sur la structure des salaires, 1994.
(13) Cf. Rachel Silvera, *Le salaire des femmes, toutes choses inégales*, Paris, La Documentation Française, coll. « Droits des femmes », 1996.
(14) Sources : INSEE, série longue sur les salaires.
(15) Sources : INSEE, Enquêtes sur l'emploi.
(16) Cf. Pierre Concialdi et Sophie Ponthieux, 1999, « L'emploi à bas salaire : les femmes d'abord » *in Travail, Genre et Sociétés* n°1/99, pp. 23-42.

Conclusion

Au bout du compte, quel bilan peut-on tirer ? Progression de l'activité, de la salarisation et du niveau d'instruction des femmes : ces trois mouvements ont amorcé un rééquilibrage évident de la part des sexes dans l'activité économique. Au-delà des chiffres, il s'agit d'une mutation sociale fondamentale qui marque un tournant dans l'histoire des rapports sociaux entre les sexes. Pour autant, on l'a vu sur chacun des thèmes abordés, l'égalité n'est pas au rendez-vous : en termes de chômage et de sous-emploi, de salaires et de carrières, l'inégalité des sexes persiste et résiste, se recompose et se reconfigure. De fait, il n'y a aucune pente naturelle vers l'égalité : ce n'est pas parce qu'il y a plus de femmes laborieuses qu'elles sont dans des situations plus égales à celles des hommes.

Mais peut-être faut-il penser aussi que toute avancée ne s'évalue pas forcément en terme d'égalité. Plus précisément, c'est « entre liberté et égalité » (17) que l'on doit faire la balance.

Dans le monde du travail, l'égalité des sexes piétine. En termes de liberté en revanche, le chemin parcouru est immense : l'accès de la majorité des femmes à l'autonomie économique est un des pivots de la transformation des rapports sociaux entre les sexes. Le débouché actuel de la féminisation du salariat n'est pas l'égalité des sexes, mais la liberté des femmes.

Margaret Maruani,
CNRS – CSU

(17) Geneviève Fraisse, « Entre liberté et égalité », *op. cit.*

La société française contemporaine
Cahiers français n° 291

Féminisation du monde du travail

20

Bibliographie

Baudelot Christian et **Roger Establet**, *Allez les filles !*, Paris, Éditions du Seuil 1992.

Concialdi Pierre et **Sophie Ponthieux,** « L'emploi à bas salaire : les femmes d'abord » *in Travail, genre et sociétés*, n° 1/99, pp. 23-42.

Ephesia, *La place des femmes : les enjeux de l'identité et de l'égalité des sciences sociales,* Paris, La Découverte, coll. « Recherches », 1995.

Duru-Bellat Marie, *L'école des filles,* Paris, L'Harmattan, 1990.

Marry Catherine, « Le diplôme et la carrière » *in* Jean-Pierre Terrail (dir.), *La scolarisation de la France. Critique de l'état des lieux,* Paris, Édition La Dispute, 1997.

Maruani Margaret et **Emmanuèle Reynaud**, *Sociologie de l'emploi*, Paris, La Découverte, coll. « Repères » (2e éd.), 1999.

Maruani Margaret (dir.), *Les nouvelles frontières de l'inégalité. Hommes et femmes sur le marché du travail,* Paris, La Découverte-Mage, coll. « Recherches », 1998.

Silvera Rachel, *Le salaire des femmes : toutes choses inégales...*, Paris, La Documentation française, coll. « Droits des Femmes », 1996.

Les Français et les Européens

Assiste-t-on à une homogénéisation des modes de vie en Europe ou, au contraire, à une diversification des consommations, des pratiques sociales et culturelles, des valeurs ? Comment se situe la France dans l'ensemble des transformations que connaissent les sociétés européennes ? Si de nombreux indicateurs, économiques en particulier, montrent une réelle convergence, les différenciations sociales et culturelles selon les pays, mais aussi de plus en plus selon les régions, semblent s'accroître. A l'exception des valeurs politiques, où l'on observe une forte convergence entre les pays européens, l'ensemble des autres composantes de la vie sociale témoignent, comme le montre ici Henri Mendras, de la grande diversité des modèles proposés aux Européens.

C. F.

La diversité des traditions culturelles françaises peut s'analyser en trois versants. Un versant méditerranéen fait de la France l'héritière directe de la civilisation romaine, urbaine et oligarchique. Un versant continental la rattache directement au centre de l'Europe où sont partagées des coutumes communautaires, qui allient un égalitarisme sourcilleux et le respect de l'autorité, versant qui s'est industrialisé au XIXe siècle, à la suite de la Belgique et de l'Allemagne. Le versant atlantique, à la fois le plus paysan et le plus ouvert sur le large, est plus proche par ses coutumes et ses conceptions des Iles britanniques. Enfin, Paris et l'Ile-de-France constituent en quelque sorte la clé de voûte de l'ensemble, en même temps que le foyer de dynamisme à partir duquel la plupart des tendances se diffusent dans les trois versants.

Une même démarche appliquée à l'Europe occidentale fait ressortir des contrastes forts sur un fond commun de civilisation. Elle offre à l'analyste du changement social un laboratoire quasi expérimental. Les tendances communes tiennent pour l'essentiel à l'économique et au progrès technique. Elles agissent toutes avec autant de force dans chacun des pays. Elles y rencontrent des structures sociales et des mœurs extraordinairement contrastées pour un espace culturel aussi restreint. Démêler le jeu de ces tendances sur cette diversité permet de mettre en relief les originalités de la société française.

Des analyses statistiques comparatives permettent d'identifier les tendances communes les plus visibles : la baisse de la natalité, l'augmentation du chômage, l'augmentation de l'équipement ménager, etc. L'économiste y voit la preuve que des lois communes produisent partout les mêmes effets. Si on se fie à ces indicateurs, les modes de vie semblent s'homogénéiser. On est amené à conclure que tous les pays d'Europe occidentale ont tendance à converger. En revanche, si l'on se fait ethnographe pour analyser les mœurs et les structures sociales, on s'aperçoit que derrière les tendances convergentes, des divergences majeures apparaissent dans les comportements démographiques, dans les coutumes alimentaires, dans la façon de gérer le capitalisme, etc. Dans cet écheveau de tendances contradictoires, la France et les Français paraissent parfois des Européens « moyens », et parfois très originaux. Tirons quelques fils de l'écheveau pour illustrer ces contrastes.

La société
française
contemporaine
Cahiers français
n° 291

Français
et Européens

21

Contrastes démographiques

Les tendances démographiques étaient considérées dans les années 60 comme des « tendances lourdes » dont l'évolution pouvait se prévoir avec sécurité. Depuis les années 70, les principaux taux qu'utilisent les démographes se sont mis à varier avec une rapidité déconcertante.

La natalité

Certaines tendances sont communes et évoluent du Nord au Sud, selon le schéma historique. Depuis 1965, la natalité baisse dans tous les pays et par conséquent, cette tendance commune paraît conduire à un mouvement d'homogénéisation. Les courbes ont la même forme dans une succession historique remarquable : d'abord la Scandinavie puis, dans un peloton serré, Belgique, Pays-Bas, Allemagne, Grande-Bretagne, France ; Grèce, Espagne, Italie, Portugal dans un deuxième peloton et l'Irlande enfin, partie de plus haut.

Aujourd'hui pourtant, au bout de trente ans d'évolution, les différences se sont fortement accrues. Les taux de natalité les plus faibles sont en Italie du Nord et en Espagne du Nord, où le taux de remplacement est aux alentours de 1, comme si ces deux pays méditerranéens avaient voulu « rattraper » leur retard par rapport à ceux du Nord. En Angleterre et en France, il est proche de 2. Dans l'ancienne République fédérale d'Allemagne, la population avait déjà commencé à baisser et le taux de remplacement était dans le Sud aux alentours de 1,3. L'immigration des Allemands d'Europe centrale et de l'ex-RDA a compensé provisoirement un déficit qui ne manquera pas de redevenir inquiétant. Par ailleurs, la Suède a vu son taux de natalité augmenter dans les années les plus récentes ; si elle est toujours en avance sur le reste de l'Europe, est-ce un signe avant-coureur d'un retournement de tendance dans les autres pays ? Des tendances communes conduisent ainsi à des situations plus contrastées et par conséquent poussent à la divergence et non à la convergence.

La famille et ses fonctions

Augmentation des divorces, diminution des mariages s'observent partout, mais avec des différences notables. L'indicateur le plus révélateur est sans doute le nombre d'enfants nés hors mariage. Un tableau résume à la fois la rapidité de l'évolution et les différences entre pays. On y voit clairement que l'éventail s'est largement ouvert en vingt ans.

La société française contemporaine
Cahiers français
n° 291

Français
et Européens

22

Évolution du taux de naissances hors mariage			
Pays	**1970**	**1993**	**1997**
Danemark	11,0	46, 4 (1)	46,3
Royaume-Uni	5,2	30,8 (1)	33,6 (5)
Suède	32,4 (4)	49,6	53,9 (6)
Belgique	2,8	11,3	15,0
Allemagne	6,3 (3)	14, 6	17,1(6)
France	6,8	33,2	38,9 (6)
Pays-Bas	1,4	13,1	17,0 (6)
Espagne	1,4	10, 0 (2)	11,2 (5)
Grèce	1,2	2,7	3,3
Irlande	1,6	18,0 (1)	26,6
Italie	2,4	7,2	8,3
Portugal	9,4	17,0	19,5

(1) 1992, (2) 1991, (3) RFA seulement, (4) 1975, (5) 1995, (6) 1996.

Sources : Eurostat et INED.

La diversité des structures familiales traditionnelles en Europe est bien connue depuis les travaux d'Emmanuel Todd (1990) et de Georges Augustins (1989). Certes l'urbanisation galopante des quarante dernières années a entraîné une mobilité des populations qui tend à brouiller la transmission des mœurs régionales. Nous ne disposons pas encore d'une analyse comparée de la structure conjugale, ni des mœurs familiales en Europe. Cet objet social est si complexe et en changement si rapide qu'il défie la comparaison. L'importance croissante de la parentèle comme réseau structurant la vie sociale, la mémoire, l'éducation et la transmission des systèmes de valeurs est reconnue dans tous les pays par les observateurs (Ségalen et Gullestadt, 1995). Cependant elle ne paraît pas jouer le même rôle dans chaque pays et les études sont encore trop fragmentaires sur ce point pour qu'il soit possible de porter un jugement d'ensemble. De ce que l'on sait, il ressort clairement que la tendance n'est pas à la convergence.

Dans tous les pays, la famille est hautement valorisée et considérée comme la structure sociale la plus importante. En famille, « on se trouve bien » et si l'on déplore que la famille se désagrège, c'est un jugement sur la société en général car chacun trouve que sa famille va bien et qu'il en est satisfait. Certes elle change de fonction : Stœtzel (1983) avait déjà montré que le rapport entre l'individu et la famille s'est renversé : autrefois, on avait des devoirs à l'égard de sa famille dont on se sentait membre, un maillon dans la chaîne des générations ; aujourd'hui sont de plus en plus nombreux ceux qui considèrent que leur famille doit répondre à leurs besoins, qu'elle est en quelque sorte à leur service, et non l'inverse. Plus la vision individualiste progresse, plus le recours à la famille s'impose. Dans tous les pays, une majorité pense qu'il faut « faire de son mieux pour ses enfants » : à peine 50% en Allemagne et au Danemark contre 75% en France, en Italie et en Espagne. L'écart passe du simple au double dans les réponses qui affirment qu'il faut « aimer et respecter ses parents » : 40% en Hollande et au Danemark contre 80% en Espagne et en Italie. On voit que les pays méditerranéens et catholiques sont les plus favorables à assurer la continuité de la lignée, tandis que les Danois, les Hollandais et les Allemands le sont moins. Les Hollandais portent plus d'intérêt à leur descendance qu'à leur ascendance (Louis Chauvel, 1994).

Une diversité de structures sociales

La notion d'une classe moyenne prise en sandwich entre une classe supérieure et une classe populaire est inadéquate quand cette classe s'est enflée au point de devenir centrale dans la société et diversifiée en une grande variété de situations sociales. Les catégories socioprofessionnelles ne s'empilent plus selon une logique pyramidale simple. La société affecte plutôt la forme d'un peloton du tour de France, qui a ses sprinters avancés et ses traînards qui ont peine à suivre. Les modes de vie se diversifient et sont de plus en plus « inventés » par les individus en fonction de leurs ressources et de leurs valeurs. De nouveaux clivages s'accentuent au sein de la constellation populaire et de la constellation centrale (Mendras, 1994) entre ceux qui sont protégés du chômage et ceux qui en sont menacés, entre les détenteurs d'un patrimoine et ceux qui ne disposent que de leur salaire. En revanche, les indicateurs disponibles ne permettent pas de savoir si ces deux constellations divergent ou non.

Unité et diversité selon les pays

Les contrastes demeurent extrêmement forts entre les structures sociales des différentes nations européennes. La Grande-Bretagne demeure encore proche d'un modèle traditionnel de classes sociales parce que la classe ouvrière anglaise, née dès le XVIIIᵉ siècle, se maintient toujours comme une véritable classe. Par son intransigeance lors de la grève des mineurs, Madame Thatcher a fait revivre une lutte de classes qui a paru anachronique aux yeux des observateurs continentaux. Puis les modifications discrètes que le gouvernement Major a apportées au *Welfare State* ont aggravé la situation des catégories les plus défavorisées. Par ailleurs, grâce à sa capacité d'absorber les individus en promotion sociale, la classe dirigeante a conservé son homogénéité et le pouvoir dans les institutions politiques, militaires et économiques. Les sociologues britanniques expliquent que cette structure de classe a perduré plus longtemps en Grande-Bretagne grâce à un accord profond de tous les citoyens sur leur culture britannique commune qui l'emportait sur les différences entre classes, et surtout parce que l'inégalité était toujours perçue en termes relatifs : « le fait de vivre avec des horizons sociaux limités signifiait que les pauvres comparaient leur situation avec celle de leurs voisins immédiats, pas avec les membres d'une autre classe » (V. Wright *in* Mendras et Schnapper, 1990). Ce qui explique aussi qu'ils aient accepté sans réagir leur appauvrissement relatif par rapport à l'enrichissement moyen des Européens.
En Italie, il n'y a jamais eu d'unité de structure de classes. Chacune des Trois Italie a son modèle de structuration principale et par conséquent les inégalités y sont de natures différentes (Bagnasco, 1993). Aux Pays-Bas, les clivages religieux entre catholiques, protestants et socialistes recoupent et oblitèrent les différences de classes. En Allemagne, les diversités régionales, la distinction entre cols bleus et cols blancs l'ancienneté de la classe moyenne et la fracture créée par le nazisme donnent l'image d'une collectivité moins différenciée que chez les voisins. La Suède a hérité de son passé paysan et forestier un sens de la communauté qui a été prolongé et mis à l'échelle nationale par l'État-providence le plus achevé de tous les pays (Monthoux *in* Mendras et Schnapper, 1990). L'Espagne a vu se constituer à la fin du régime franquiste une classe dirigeante qui a pris le pouvoir économique sans détruire les anciennes structures pré-capitalistes.
Ce résumé caricatural est trop schématique pour être descriptif, mais il montre que cette diversité a peu de chances de conduire à une unité de structure dans l'ensemble des pays d'Europe occidentale. De son côté, l'évolution de la société française se poursuit selon sa logique propre, et elle ne paraît pas convergente avec celle des pays voisins.

Les inégalités socio-économiques

L'étude comparative de la distribution des revenus menée par Louis Chauvel (1995) d'après les données internationales du *Luxemburg Income Survey* (Atkinson, 1994) montre qu'au cours des années 80, aux États-Unis et au Royaume-Uni, on notait une progression sensible des revenus du décile supérieur et du décile inférieur ; autrement dit, les riches s'y sont enrichis plus vite que la moyenne de la population et les pauvres s'y sont appauvris. En Europe continentale, la déformation des graphiques a été plus faible : en Suède, les revenus se concentrent autour de la médiane avec une tendance moyenne à l'appauvrissement ; en Hollande, le revenu minimum est anormalement élevé : aussi peu de pauvres qu'en Suède et autant de riches que dans les pays voisins. En France et en Allemagne, l'évolution très faible est surtout due à l'enrichissement des plus riches.
La pauvreté devient de plus en plus scandaleuse à mesure que l'Europe s'enrichit ; elle attire donc une attention croissante, alors qu'elle ne semble pas en nette augmentation (sauf en Grande-Bretagne), en partie parce que le troisième âge est massivement sorti de la pauvreté. Serge Paugam (1996) a bien montré qu'il y a des formes très diverses de pauvreté selon les pays et les régions : pauvreté de sous-développement du Mezzogiorno, pauvreté d'inadaptation des laissés-pour-compte de la croissance, pauvreté « disqualifiante » produite par les mécanismes d'exclusion.

Jeunesses européennes

Dans toute l'Europe, on voit s'affirmer trois âges de la vie – jeunesse-âge actif-troisième âge –, il ne faudrait pas en conclure pour autant à une évolution convergente, car chacun de ces trois âges s'institutionnalise de façon différente dans chaque pays, parfois même dans chaque région.
Partout la jeunesse est en train de prendre son autonomie pour constituer une étape de la vie pendant laquelle les jeunes vivent une période moratoire d'instabilité affective et professionnelle, période jalonnée de pratiques culturelles, sportives et d'une sociabilité intenses, avant d'entrer vers vingt-huit ans dans l'âge adulte, actif et plus stable avec la première naissance (Galland, 1997). Mais si cette « invention » de la jeunesse est commune à tous les pays, elle est vécue de manière différente. En Italie, le jeune demeure chez ses parents jusqu'à son mariage ; il peut avoir un emploi ou être au chômage mais ne contribue pas au budget familial et surtout bénéficie d'une autonomie quotidienne complète. La famille italienne s'est transformée pour accueillir ce nouveau mode de vie des grands enfants. En France, au contraire, les jeunes ont tendance à quitter leurs parents, et s'ils en ont les moyens, à s'établir dans un logement indépendant sans pour autant vivre en couple stable. La jeunesse française est une période où prime l'indépendance. Les jeunes Anglais d'origine populaire quittent leurs parents assez tôt pour s'établir en couple et avoir un enfant (Cavalli et Galland, 1993).

La société française contemporaine
Cahiers français n° 291

Français et Européens

23

Cultures et valeurs

Les diversités culturelles de l'Europe peuvent s'analyser en allant d'Ouest en Est ou du Nord au Sud. Si l'on part de l'Atlantique, des deux nations les plus anciennement formées et aux frontières stables – la France et l'Angleterre –, et qu'on aille ensuite vers l'Est, on va vers des empires aux frontières incertaines, dont le dernier vient d'éclater. Si l'on part du Nord, on passe des sociétés les plus « modernes » sur le plan des mœurs et de la vie quotidienne aux sociétés méditerranéennes qui conservent leurs traditions.

L'unité culturelle de l'Europe

Quatre principaux traits font l'unité de la civilisation de l'Europe occidentale et son originalité par rapport à toutes les autres civilisations du monde (Mendras, 1997), notamment l'Europe orientale incarnée par la Russie.

- *L'individualisme* place l'individu avant le groupe, le « je » avant le « nous ». Ce principe idéologique est issu de l'Évangile qui établit un rapport direct entre la créature et son Créateur, alors qu'à la même époque, en Grèce, c'est la Cité qui définit le citoyen. Le protestantisme reviendra au principe évangélique, et la Déclaration des droits de l'homme le proclamera comme une vérité universelle, faisant de l'égalité le complément nécessaire à l'individualisme.

- Le principe de la *propriété individuelle de la terre* trouve son origine dans la religion et le droit romains. Oblitéré par le droit féodal, il sera repris et affirmé en 1789 comme un droit de l'Homme, présenté comme universel, alors qu'aucune autre civilisation ne considère la terre comme susceptible d'appropriation individuelle. *L'État-nation* et la *frontière* sont les transcriptions politiques de ce principe. Par opposition, l'Autre Europe est l'Europe des Empires dont les frontières n'ont jamais été stables.

- *Le capitalisme* est une invention de l'Europe occidentale (voir Marx et Max Weber) qui suppose que la richesse soit considérée comme un capital productif. La liaison entre science et technique, inconnue jusqu'au XVIIᵉ siècle, est réalisée par les Anglais au XVIIIᵉ, au début de la Révolution industrielle. Ainsi capitalisme et industrie s'allient pour construire la rationalité économique. Le capitalisme industriel ne s'est pas répandu hors d'Europe occidentale jusqu'à une date récente, sauf au Japon. La société industrielle soviétique était un capitalisme d'État et non d'entreprises individuelles. Bien qu'il obéisse toujours aux principes weberiens, le capitalisme prend des formes très diverses selon les pays. En Angleterre, les individus qui se lient par un contrat ne se sentent pas dépendants en dehors de l'objet du contrat ; par conséquent l'entrepreneur capitaliste est gouverné uniquement par son intérêt individuel. En France, le capitalisme « colbertien » s'appuie sur un État fort et la gestion des entreprises est étroitement enserrée dans

des règles étatiques ; de plus la tradition du patrimoine paysan tend à privilégier la continuité et le caractère national des entreprises. En Allemagne, « l'économie sociale de marché » fonctionne grâce à un rapport complexe entre syndicats, chefs d'entreprises et banques, sous le contrôle de l'État. En Italie, la force de la parenté et des institutions municipales et régionales favorise les réseaux de petites entreprises branchées sur les réseaux commerciaux internationaux.

- *La démocratie* a été inventée en Grèce et le gouvernement de la majorité, qui a été inventé en Occident, s'est développé à partir de l'Angleterre au XVIIᵉ siècle. Elle a mis longtemps à s'établir et à s'affirmer en Europe continentale et à grand peine à s'implanter ailleurs, sauf en Amérique du Nord, qui sur tous ces points est le prolongement de l'Europe occidentale. L'Europe des Empires est l'Europe du despotisme, qu'il soit russe ou ottoman ; le despotisme établit la supériorité du groupe sur l'individu dans la communauté paysanne (propriété collective de la terre) et par le pouvoir despotique du tsar, puis du parti communiste. Dans l'Empire, le despote commande à des communautés et ne connaît pas les individus tandis que l'État-nation démocratique ne tolère aucun pouvoir entre lui et les citoyens dont il tire sa légitimité. Depuis Pierre Le Grand, l'occidentalisation de l'Europe de l'Est est en progrès. De même, la dégradation puis la disparition de l'Empire ottoman ont entraîné une occidentalisation des Balkans, qui se poursuit à travers les drames que l'on connaît.

Individualisme et institutions sociales

L'individualisme est la base idéologique commune à tous, mais l'individu ne peut exister seul ; il ne se comprend que dans son rapport avec le groupe ou les institutions dont il est membre dans une dialectique entre le « je » et le « nous ».
Étienne Schweisguth distingue deux formes principales d'individualisme, l'une qui s'oppose à tout lien social et qui est dominante dans l'univers méditerranéen, l'autre qui ne se conçoit qu'intégrée dans un lien social et qui est plus répandue dans l'aire de culture germanique, notamment en Suède. Deux dimensions principales fondent cette distinction : civisme/incivisme et permissivité sexuelle. Ainsi, dans la culture scandinave, « la valorisation de la liberté individuelle s'accompagne d'une valorisation de la responsabilité morale individuelle et d'une condamnation des comportements irrespectueux des règles de la vie en commun » (Schweisguth, 1995). Ce qui n'est évidemment pas le cas des Français, des Italiens, etc. L'individualisme varie dans ses formes psychologiques et institutionnalisées d'un pays à l'autre. Il est le plus absolu en Angleterre où, au sein même de la famille, les enfants se détachent très tôt de leurs parents. En France, l'individualisme se construit contre le pouvoir des parents et de l'État et possède donc un caractère de rébellion anarchique. Dans l'aire germanique, l'individu se sent à l'aise dans son groupe dont il hésite

La société française contemporaine
Cahiers français
n° 291

Français et Européens

à rompre le consensus. En Italie, l'individualisme englobe le groupe conjugal dont la légitimité l'emporte sur toutes les autres, et s'inscrit dans des rapports de clientèle plus forts au sud qu'au nord.

Le cas français

Dans les années 50, Michel Crozier avait construit son modèle canonique du fonctionnement de la société française, caractérisée par un fort cloisonnement et une peur du face-à-face, entraînant une impossibilité de coopérer. L'incompréhension des positions d'autrui et le souci jaloux de protéger son indépendance et son estime de soi conduisaient les Français à faire remonter responsabilité et décision au sommet de la hiérarchie. En vingt ans ce modèle s'est assoupli, sinon effondré, les Français ont fait sauter les cloisons, ont appris à négocier et à marchander, et surtout le rapport d'autorité s'est modifié. Le souci d'indépendance, toujours aussi fort, ne s'exprime plus par un rejet de l'autorité, mais répond à un souci d'épanouissement individuel. Et Crozier, lui-même de conclure : « Nous vivons une explosion des rapports humains. Tous les phénomènes humains collectifs que nous constatons dans tous les domaines ont quelque chose en commun : la multiplication des partenaires et l'accroissement de la complexité du jeu » (*in* Mendras, 1980).

Jean-Daniel Reynaud a expliqué que ce desserrement des contraintes sociales est dû à l'enrichissement des Trente Glorieuses qui a entraîné le desserrement des contraintes économiques. Ainsi a été « ruinée une morale économique traditionnelle de la pénurie, impitoyable au moindre faux-pas, affirmant comme premières vertus l'endurance, la frugalité et la prévoyance ». Autre facteur de transformation, « le développement de l'information au sens large et celui de l'éducation ont élargi les comparaisons et donc les groupes de référence, élevé les niveaux d'aspiration, rendant désuètes les sagesses locales ou traditionnelles, celles qui enseignaient sinon de se tenir à sa place, au moins d'être satisfait de son sort » (*in* Mendras, 1980). Autrement dit, alors que l'autorité autrefois s'imposait, maintenant elle doit être consentie, ce qui suppose un consensus de base entre supérieurs et subalternes. Ainsi passe-t-on petit à petit du rapport d'autorité/soumission à la négociation permanente. Le « marchandage généralisé » suppose le face-à-face, la compréhension de la position d'autrui et de ses atouts face à votre position et à vos atouts, pour aboutir à des compromis entre des rationalités différentes. Ce qui est facilité quand le jeu n'est pas à somme nulle.

Cette transformation majeure des rapports est assurée par les nouvelles normes pédagogiques à l'école et dans la famille. L'argument d'autorité n'est plus l'*ultima ratio* de l'éducation à la française depuis que nous apprenons à nos enfants dès le plus jeune âge à marchander leur affection à leurs parents et à leurs grands-parents. La famille recomposée leur permet en outre de choisir leurs frères et sœurs et même leurs parents et leurs grands-parents. Le réseau devient la structure fondamentale, qui transgresse toutes les cloisons anciennes. Pour autant, on ne peut pas en

conclure qu'un même modèle de rapports sociaux est en train de s'établir en Europe occidentale. Seules des études comparatives permettraient de démêler ce qui est permanent et qui s'impose toujours aux Français des changements qu'ils ont réalisés dans leurs rapports sociaux.

Des valeurs politiques

Les sondages d'opinion européens d'Eurobaromètre font ressortir une certaine convergence des opinions depuis quinze ans. Cette convergence semble se confirmer à la suite de la seconde vague de l'enquête européenne sur les valeurs (E.V.S.), dont la première avait été analysée par Jean Stoetzel. Si l'on prend l'échelle d'Eurobaromètre, on voit que tous les pays évoluent vers un système de valeurs qualifié de « post-matérialiste » par Inglehart qui reprend l'analyse de Jean-Daniel Reynaud. Les pays qui sont les plus en retard sur cette échelle ont tendance à rattraper le gros du peloton. De même l'enquête valeurs révèle une tendance à la diminution des extrémismes et à la convergence vers la « social-démocratie » dans tous les pays.

La religion revêt une importance très variable selon les pays. 80 à 90% des Européens se déclarent d'emblée soit catholiques soit protestants, sauf en France, en Hollande et en Grande-Bretagne, où 20% refusent explicitement toute appartenance religieuse. Si l'allégeance est massive, la pratique en revanche est très variable : 80% de pratiquants réguliers en Irlande contre 10% en France et 8% au Danemark. Sur dix ans, entre les deux enquêtes, les évolutions sont très faibles, la moyenne européenne reste stable : un recul sensible en Espagne, minime en Belgique et aux Pays-Bas, compensé par une reprise en Italie.

Dans le domaine politique, tous les Européens sont attachés à la démocratie et la majorité des citoyens n'ont pas de peine à se situer sur une échelle droite (31%) gauche (28%) ; 42% se situent au centre ou refusent de se situer (28% en Hollande contre 45% en Italie, en Espagne et en Belgique). Si, parmi les moyens de faire changer la société, on propose un choix entre de lentes réformes, lutter contre la subversion ou la révolution, cette dernière solution est partout minoritaire, de 1% au Danemark à 10% en Italie. En revanche, lutter contre la subversion, qui témoigne d'un fort conservatisme, varie de 28% en Allemagne à 5% en Espagne. Dernière constatation d'importance, en dix ans, dans tous les pays, les valeurs liées à la politique ont évolué du conservatisme vers le modernisme et des extrêmes vers le centre.

L'ensemble des données disponibles permet ici de conclure de façon relativement sûre à une très lente convergence des valeurs politiques des Européens. En définitive, toutes ces tendances paraissent suivre un mouvement de diffusion du Nord vers le Sud qui semble se confirmer dans presque tous les domaines. Les historiens savent bien que l'alphabétisation a débuté en Scandinavie et dans les pays du Nord et qu'elle a mis deux siècles pour atteindre l'extrême Sud du Portugal. Curieusement, il en est de même pour le nombre des

La société française contemporaine
Cahiers français
n° 291

Français
et Européens

réfrigérateurs, des machines à laver, des enfants nés hors mariage, etc. Le problème qui se pose aujourd'hui est de savoir si les pays méditerranéens vont suivre le mouvement dans tous les domaines et rattraper leur retard ; ou, au contraire, s'ils ont des structures et des traits de civilisation qui vont résister au mouvement d'ensemble et les amener à développer une sorte de contre-société moderne. Si oui, comment la France réagira-t-elle au confluent des deux tendances ?

Conclusion

Que conclure ? Y a-t-il homogénéisation des modes de vie des Européens ou, au contraire, diversification des habitudes et des coutumes selon les évolutions rapides des diverses formes de modes ? Derrière ce tohu-bohu apparent, voit-on des structures nationales et même provinciales se perpétuer et peut-être même se renforcer en assimilant les innovations que propose l'évolution technique et sociale ? Les quelques exemples présentés ici au hasard des études comparatives disponibles ne permettent pas de répondre à ces questions. Trois thèmes de réflexion me paraissent ressortir de ces exemples :
Primo : les analyses nationales s'imposent pour ce qui relève de l'action de l'État, mais elles sont trompeuses car les moyennes oblitèrent des différences régionales significatives.
Secundo : les tendances similaires identifiées à l'aide d'un indicateur peuvent conduire à des situations plus diversifiées que celles du départ parce que le jeu complexe des institutions, des mœurs et des stratégies peut faire que la même cause ait des effets différents dans des contextes différents.
Tertio : les responsables politiques sont enclins à surévaluer les évolutions majeures tandis que les citoyens sont plus sensibles à l'entrelacs des micro-structures et des intérêts particuliers.

Les tendances massives qui paraissent pousser à la convergence dérapent sur des môles puissants d'institutions, de structures et de mœurs qui semblent résister et sont même capables de se perpétuer. Surtout des forces contradictoires paraissent militer pour accroître les divergences. Entre un système économique commun et des contradictions sociales, politiques et culturelles, le conflit est apparent, et il n'y a pas de raison pour que l'un l'emporte sur les autres. Nous connaissons trop mal les mécanismes d'agencement entre stratégies individuelles et collectives et rouages économiques. Les seconds paraissent les plus puissants mais, étant mis en mouvement par les premiers, ils s'y trouvent en grande partie soumis. De tous ces arguments en apparence contradictoires, il ressort clairement, me semble-t-il, que nous allons vers une diversité de plus en plus grande de systèmes de valeurs, de modes de vie et d'institutions. (*)

Henri Mendras,
OFCE

(*) Ce texte emprunte des passages au chapitre « Les Français parmi les Européens » que j'ai publié dans Robert Fraisse et Jean-Baptiste de Foucauld (dirs.), *La France en prospective*, Paris, Odile Jacob, 1996.

La société française contemporaine
Cahiers français n° 291

Français et Européens

26

Bibliographie

Augustins Georges (1989), *Comment se perpétuer ? Devenir des lignées et destins des patrimoines dans les paysanneries européennes*, Nanterre, Société d'ethnologie.

Bagnasco Arnaldo et Trigillia Carlo (1993), *La construction sociale du marché. Le défi de la troisième Italie*, Cachan, Editions de l'ENS.

Cavalli Alessandro, Galland Olivier (1993), *L'allongement de la jeunesse*, Arles, Actes-Sud.

Chauvel Louis :

- (1994) « Les valeurs dans la communauté européenne » *in Entre convergences et intérêts nationaux : l'Europe*, J.-P. Fitoussi (dir.), Paris Presses de la FNSP.
- (1995), *Sur les strobiloïdes*, Observatoire Français des conjonctures économiques, Document de travail, n° 95-03.

Galland Olivier (1997), *Sociologie de la jeunesse. L'entrée dans la vie*, Paris, Armand Colin.

Mendras Henri, Schnapper Dominique (dirs.) (1990), S*ix manières d'être Européen*, Paris, Gallimard.

Mendras Henri (Dir.) :

- (1980) *La sagesse et le désordre. France 1980*, Paris, Gallimard.

- (1994) *La seconde Révolution française 1965-1984*, Paris, Gallimard, coll. « Folio »

- (1997) *L'Europe des Européens. Sociologie de l'Europe occidentale*, Paris, Gallimard, coll. « Folio ».

Paugam Serge (1996), *L'exclusion : l'état des savoirs*, Paris, La Découverte.

Reynaud Jean–Daniel, *in* Mendras H. (Dir.) (1980), *La sagesse et le désordre. France 1980*, Paris, Gallimard.

Segalen Martine et Gullestad Marianne (1995), *La famille en Europe : parenté et perpétuation familiale*, Paris, La Découverte.

Schweisguth Étienne. (1995), « La montée des valeurs individualistes » *in Futuribles*, n°200, juillet-août.

Stœtzel Jean, (1983), *Les valeurs du temps présent*, Paris, PUF.

Todd Emmanuel (1990), *L'invention de l'Europe*, Paris, Le Seuil.

Wihtol de Wenden C.(1999), *L'immigration en Europe*, coll. « Vivre en Europe », Paris, La Documentation française.

Fialaire Jacques (1996), *L'école en Europe*, coll. « Vivre en Europe », Paris, La Documentation française.

Berthod-Wurmser M. (1994), *La santé en Europe*, coll. « Vivre en Europe », Paris, La Documentation française.

Groupes sociaux et stratification sociale

Depuis les années 80, la dynamique des groupes sociaux et de la structure sociale s'écarte quelque peu des grandes tendances d'évolution qu'a connues la société française durant les Trente Glorieuses. La progression des couches sociales intermédiaires s'atténue, les nouvelles générations qui s'insèrent aujourd'hui dans l'emploi ont moins de chances que leurs parents de connaître une mobilité sociale ascendante tandis que les inégalités se creusent entre un nouveau groupe social de personnes connaissant un risque de déclassement et les catégories très favorisées dont les revenus ont fortement progressé ces dernières années. Face à un accroissement de la fragmentation sociale, Louis Chauvel plaide pour un enrichissement de la notion de groupe social, voire un retour de l'analyse en termes de « classes sociales ».

C. F.

Le syntagme « groupe social » est l'un des plus larges et des plus neutres du vocabulaire de la sociologie de la stratification sociale. Il est typique de la sociologie française d'aujourd'hui pour laquelle le terme de « classe sociale » semble entré en désuétude. Dans sa définition la plus générale, « groupe social » qualifie un ensemble relativement homogène d'individus repérables par des caractéristiques sociales spécifiques déterminant ou rendant compte de positions, évolutions ou comportements collectifs distincts de ceux des autres. Il s'apparente largement au mot « catégorie sociale », bien que ce dernier tende plus souvent à qualifier des individus de même profession comme dans « catégorie socioprofessionnelle », alors que l'on pourra définir comme formant un « groupe social » l'ensemble des étudiants ou des jeunes de banlieue.

La dynamique des groupes sociaux dans la société française de la fin du XXe siècle est complexe et implique des évolutions nombreuses, souvent contradictoires. Les faits repérés ont ainsi ouvert plus de débats qu'ils n'ont offert de diagnostics ou d'interprétations univoques, unanimement partagées.

Les catégories socioprofessionnelles : tertiarisation, « moyennisation » et aspiration vers le haut ?

Depuis les années 50, les catégories socioprofessionnelles (CS), élaborées au sein de l'INSEE, se sont imposées en France comme le principal outil d'analyse de la statistique sociale permettant de repérer la position des individus dans le monde productif. Desrosières et Thévenot (1988), qui participèrent à l'équipe d'élaboration de la nouvelle grille de 1982 dite des *Professions et catégories socioprofessionnelles* (PCS) qui a succédé aux *Catégories socioprofessionnelles* (CSP) de 1954, ont établi une histoire succincte de sa construction. La CS permet de repérer empiriquement, sous une forme neutralisée, une notion assez proche en définitive de celle de « classe sociale », sans avoir à en prononcer le nom. La logique du regroupement repose sur les conventions collectives, qui révèlent le consentement ou la reconnaissance d'une communauté d'intérêts par les membres des différents corps de métiers, professions, niveaux hiérarchiques, etc., au travers des négociations. L'outil résume ainsi (Héran, 1997) la position hiérarchique, le statut (salarié public ou privé, indépendant) et le secteur d'activité (voir tableau 1).

Catégories socioprofessionnelles et évolution des groupes sociaux

Au travers de cette grille des CS, il est possible de repérer sur quarante ans la mutation des groupes sociaux (graphique 2), à condition de parvenir à recoller l'ancienne nomenclature et la nouvelle (Chauvel, 1998, pp. 259-264). Les évolutions ont suscité pour l'essentiel quatre diagnostics :

• l'expansion du salariat, marquant le déclin des professions indépendantes d'agriculteurs, artisans et commerçants, et notamment des plus modestes. Le développement de la part des salariés dans le système productif, qui fut surtout sensible dans le courant des années 60 et 70 s'est nettement ralenti depuis ;

• la tertiarisation, à savoir l'expansion des métiers de services, qu'ils soient qualifiés ou non, et le déclin concomitant des professions manuelles de l'agriculture, depuis la Libération, puis de l'industrie à partir du milieu des années 70 ;

La société française contemporaine
Cahiers français n° 291

Groupes sociaux et stratification sociale

1. Part dans la population active des différentes PCS (%)

#	PCS	1982-1983	1997-1998
11	Agriculteurs sur petite exploitation	2,9	0,5
12	Agriculteurs sur moyenne exploitation	2,2	0,7
13	Agriculteurs sur grande exploitation	1,5	1,5
	Agriculteurs chômeurs	*0,0*	*0,0*
1	**Total agriculteurs**	**6,6**	**2,8**
21	Artisans	3,8	3,1
22	Commerçants	3,3	2,7
23	Chefs d'entreprises de 10 salariés et plus	0,5	0,5
	Artisans, commerçants, chefs d'entreprise chômeurs	*0,1*	*0,3*
2	**Total artisans, commerçants, chefs d'entreprises**	**7,7**	**6,6**
31	Professions libérales	1,0	1,3
33	Cadres de la Fonction publique	1,0	1,1
34	Professeurs, professions scientifiques	1,5	2,7
35	Professions de l'information, des arts et spectacles	0,5	0,7
37	Cadres administratifs et commerciaux d'entreprise	2,2	3,2
38	Ingénieurs, cadres techniques d'entreprise	1,8	2,6
	Cadres et professions intellectuelles supérieures au chômage	*0,2*	*0,6*
3	**Total cadres et professions intellectuelles supérieures**	**8,2**	**12,3**
42	Instituteurs ou assimilés	3,4	3,0
43	Professions intermédiaires de la santé et du travail social	2,7	3,5
44	Clergé, religieux	0,1	0,1
45	Professions intermédiaires administratives de la Fonction publique	1,5	1,5
46	Professions intermédiaires administratives et commerciales des entreprises	4,1	5,0
47	Techniciens	3,1	3,5
48	Contremaîtres, agents de maîtrise	2,7	2,0
	Professions intermédiaires au chômage	*0,6*	*1,3*
4	**Total professions intermédiaires**	**18,1**	**19,9**
52	Employés civils, agents de service Fonction publique	7,1	7,6
53	Policiers et militaires	1,5	1,9
54	Employés administratifs des entreprises	8,6	7,8
55	Employés de commerce	2,8	3,2
56	Personnels des services directs aux particuliers	4,0	5,2
	Employés au chômage	*2,0*	*4,0*
5	**Total employés**	**26,1**	**29,6**
62	Ouvriers qualifiés de type industriel	6,7	6,0
63	Ouvriers qualifiés de type artisanal	5,5	5,6
64	Chauffeurs	2,3	2,3
65	Ouvriers qualifiés, manutention, magasinage, transport	1,8	1,5
67	Ouvriers non qualifiés de type industriel	8,0	4,2
68	Ouvriers non qualifiés de type artisanal	3,7	2,8
69	Ouvriers agricoles	1,1	0,9
	Ouvriers au chômage	*2,9*	*4,1*
6	**Total ouvriers**	**32,0**	**27,4**
	Chômeurs n'ayant jamais travaillé	**1,3**	**1,4**
	Total	**100,0**	**100,0**

La société française contemporaine
Cahiers français
n° 291

Groupes sociaux et stratification sociale

28

Sources : Enquêtes emploi INSEE 1982-1983 et 1997-1998 obtenues auprès du LASMAS-IDL/CNRS ; les échantillons sont de l'ordre de 150 000, et les incertitudes statistiques sont de 0,2 % environ.

• la « moyennisation », c'est-à-dire le développement des couches sociales intermédiaires, correspondant notamment à la PCS des « professions intermédiaires » ;

• l'aspiration ou le glissement vers le haut, qui qualifie le mouvement d'expansion des catégories hiérarchiques les plus élevées à la défaveur des plus modestes.

Si les deux premiers arguments ne font guère débat, les diagnostics en termes de moyennisation et d'expansion des catégories supérieures sont plus controversés : acceptés pour les Trente Glorieuses 1945-1975, époque des mutations fondamentales de l'économie et de la société française contemporaine (Fourastié, 1979), et plus exactement encore pour ce que Mendras (1988) a appelé la Seconde révolution française 1965-1984, de tels diagnostics semblent plus difficiles à établir depuis le milieu des années 80.

Une moindre croissance récente des couches sociales intermédiaires

Désormais, la « moyennisation » est plus problématique. Les « professions intermédiaires », cet ensemble de cadres B de la Fonction publique et d'équivalents du privé, de techniciens, de travailleurs sociaux, d'infirmiers et d'instituteurs et assimilés, que l'on appelait naguère les « cadres moyens » dans la mesure où leur position n'est ni celle d'exécutants, ni celle de salariés de direction ou de conception, ont longtemps été l'archétype des classes moyennes. Sans néanmoins décliner, cette catégorie a connu un freinage important de sa croissance numérique. C'est notamment la conséquence du déclin des recrutements de titulaires de la Fonction publique, de près d'un tiers en vingt ans, mais pas exclusivement : les contremaîtres, assimilés à ce groupe, ont connu eux aussi le déclin.

Une expansion des catégories supérieures à nuancer

Le diagnostic d'expansion des catégories supérieures et de déclin des catégories modestes est en apparence mieux fondé lorsque l'on considère l'emploi (graphique 2) : numériquement, les cadres sont une CS en nette expansion. Même pour la période récente, l'aspiration vers le haut semble fondée. Néanmoins, deux critiques y ont été opposées. D'une part, ce ne serait pas la même chose que d'être cadre en 1964, lorsque la catégorie représentait 5% de l'emploi, et en 1999, avec 13%, et la catégorie pourrait être ainsi moins élevée socialement parce que moins sélective que naguère, d'où une idée de « banalisation », pour ne pas parler de « prolétarisation » des cadres. D'autre part, moins hypothétiquement, on note que le développement par génération de la population des cadres a connu un grand ralentissement : de la cohorte

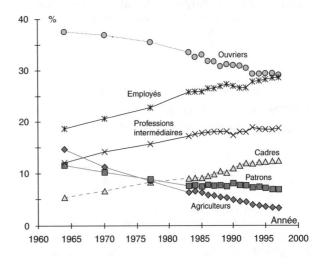

Source : Louis Chauvel, 1998, p. 39.
Champ : population en emploi hommes et femmes 20 à 59 ans ; les contremaîtres sont dans le groupe ouvriers.

La société française contemporaine
Cahiers français
n° 291

Groupes sociaux
et stratification
sociale

29

née en 1930 à celle née en 1945, la proportion de cadres dans la population a doublé, quel que soit l'âge d'observation ; de la cohorte née en 1945 à celle de 1960, en quinze ans encore, il y eut une quasi-stagnation (Chauvel, 1998).

L'expansion des cadres correspond depuis plus de vingt ans au départ en retraite des générations nées dans la première moitié du siècle, qui comptaient peu de cadres, par les générations nées après 1945, qui en comptent plus, mais l'expansion du groupe des cadres a cessé pour les suivants. Vrai sur le long terme, l'expansion des catégories supérieures est plus problématique pour les nouvelles cohortes d'entrants.

Un déclin des catégories modestes ?

Par ailleurs, la décroissance des catégories populaires dissimule des phénomènes complexes : lorsque l'on additionne employés et ouvriers, c'est-à-dire les professions peu qualifiées ou routinières de l'industrie et des services, on observe effectivement un déclin de cette population dans l'ensemble de l'emploi. Mais si l'on compte en outre les chômeurs ayant eu un emploi d'employé ou d'ouvrier, la dynamique est tout autre : depuis 1964, ces catégories populaires représentent invariablement 55 à 60% de la population, selon que l'on compte l'emploi ou la population active.

Par conséquent, il n'y a pas de disparition des catégories populaires, mais tertiarisation (passage des ouvriers aux employés) et expansion des sans-emplois, ce qui ne correspond pas à une logique d'élévation dans l'échelle sociale, bien au contraire. Ainsi, l'expansion des catégories moyennes, naguère, et supérieurs (aujourd'hui encore) ne s'est pas faite en défaveur de ces catégories populaires, qui représentent toujours la même part dans la population active, mais en « mordant » sur la part des indépendants, agriculteurs et patrons. Ainsi, l'argument de l'aspiration vers le haut est *a posteriori* plus complexe que dans son énoncé initial.

Chômage et précarité : vers la formation d'une *under-class* ?

L'expansion du risque de chômage pose d'autres difficultés d'interprétation de la dynamique des groupes sociaux. Le groupe des chômeurs est, au sein de la population active, celui qui connaît la plus forte expansion (tableau 3), nettement devant le groupe des cadres ; il constitue ainsi un ensemble de grande taille, plus grand que celui des cadres. Serait-ce l'indication de l'émergence d'un nouveau groupe social ?

La société
française
contemporaine
Cahiers français
n° 291

Groupes sociaux
et stratification
sociale

30

3. Évolution des CSP en part de la population active sur la période 1964-1977 et 1983-1997

	1964-1977	1983-1997
Cadres (a)	+2,8 %	+3,1 %
Professions intermédiaires (a)	+3,3 %	+0,6 %
Catégories populaires (ouvriers et employés) (a)	+1,1 %	-5,8 %
Chômeurs	+1,7 %	+6,3 %
Agriculteurs	-6,1 %	-3,2 %
(Patrons)	-2,8 %	-1,0 %
(Employés) (a)	+3,6 %	+0,9 %
(Ouvriers) (a)	-2,6 %	-6,7 %

(a) : catégories salariées en emploi.

Source : Louis Chauvel, 1998, p. 44.
Champ : population active hommes et femmes 20 à 59 ans, chômeurs séparés.
Note : Les cadres ont connu de 1964 à 1977 une croissance de 2,8 points (en passant de 5,2 à 8,0% de la population active).

Les chômeurs, un groupe social ?

Tout un ensemble d'arguments tendent à repousser cette idée, parce que les chômeurs ne correspondent pas à ce que classiquement, on entend par catégorie sociale :

• le chômage est un état souvent temporaire, et n'est donc pas une situation stable ;

• il ne définit pas une identité et n'est guère propice à la socialisation, au contraire ;

• il a la particularité d'être transversal à l'ensemble des catégories sociales, en ne laissant indemne aucune d'entre elles ;

• il n'est pas un statut qui se transmet de génération en génération.

Pourtant, il est possible d'y opposer point par point une contre argumentation pour justifier de l'intérêt de la prise en compte du chômage, ces chômeurs ne formant pas une catégorie sociale classique, mais un groupe flou, instable et paradoxal par sa nature, mais pourtant plus cohérent qu'on a coutume de le supposer :

• le chômage est de plus en plus souvent un état durable, récurrent et chronique dans la vie de ceux qui l'ont déjà connu : 43% de ceux qui entrent dans le chômage ne le quitteront pas avant un an, même temporairement ; 67% de ceux qui y sont l'année n y sont encore pour l'année n+1 ; en effet, 32% de ceux qui le quittent y retourneront avant 12 mois ; 27% des chômeurs de l'année n y sont de nouveau en n+5 ; d'où l'idée d'un chômage chronique ;

• les chômeurs ont conscience d'être chômeurs et du statut précaire qui s'ensuit ;

• le chômage touche très majoritairement les catégories populaires : sur 3 millions de chômeurs en 1998, 140 000 étaient en catégorie cadre lors de leur dernier emploi, 2,1 millions employés ou ouvriers, et 350 000 n'ont jamais travaillé. Le cadre au chômage est une goutte d'eau dans l'océan des sans-emplois ;

• parmi les jeunes au chômage et habitant chez leurs parents encore en activité, 14% dépendent d'un chef de ménage lui-même chômeur (contre 8% pour les jeunes non chômeurs chez leur parents), ce qui montre que le chômage des parents et celui des enfants sont au moins partiellement liés.

Ces arguments ne permettent pas d'asseoir définitivement l'idée que le chômage est une catégorie sociale, mais il ne fait guère de doute que si un fort taux de chômage se perpétue, ces quatre arguments auront des chances de se renforcer mutuellement, dans le sens d'une cohérence et d'une structuration croissantes de l'ensemble encore flou du chômage et de la constellation qui gravite autour (comme les contractuels précaires ou aidés, titulaires du RMI, préretraités, stagiaires).

Rapport à l'emploi et stratification sociale

Si on hésite à faire du chômage une catégorie, il pourrait, plus généralement, impliquer un nouveau principe de stratification. Certains argumentent alors, comme Serge Paugam (1999, à paraître), qu'un nouveau clivage pertinent, qui dépasse la structure des CS, pourrait être fondé sur le rapport à l'emploi, à sa pérennité ou au risque de le perdre. Ainsi, on retrouve une vision moins statique d'individus occupant durablement des positions sociales repérées par les CS, mais une vision dynamique plus wébérienne de la stratification fondée sur les *Lebenschancen*, littéralement « chances de vie » ou « espérance existentielle » des individus : les uns ayant plus de probabilités d'être stables voire de faire carrière et de progresser, et même, pour une minorité de cadres de direction stratégique de grande entreprise, de s'insérer dans les rangs des titulaires de grandes fortunes *via* l'intéressement et les *stock options*, et les autres se trouvant dans une situation où les risques de déclassement social, voire de marginalisation, sont importants. Étant donné que ces risques sont évidemment plus forts chez les moins scolarisés, et chez les enfants des catégories populaires des quartiers de relégation, un nouveau groupe social de « désaffiliés » ou d'« inutiles au monde » (Castel, 1995) pourrait émerger et compléter alors les catégories populaires ; un nouvel ensemble, situé en deçà de celle-ci, et préfigurant une *under-class* dont l'accès à l'activité professionnelle et à des sources de revenu stables ferait de plus en plus défaut.

Revenus et scolarité : d'une stratification « économique » à une stratification « culturelle » ?

Les inégalités économiques

Un autre aspect central du système que forment les groupes sociaux est l'écart économique qui les sépare. Ici encore, entre la dynamique de naguère et celle qui s'esquisse depuis le milieu des années 80, il faut prendre acte d'un changement dans le rythme d'évolution, voire d'une rupture de tendance : après une période de réduction intensive des écarts de revenu à partir de 1960, depuis 1979, les mouvements sont faibles (tableau 4), et même contradictoires selon les sources. Il y aurait ainsi un accroissement nouveau des inégalités, notamment par une croissance plus importante du revenu du décile le plus riche (graphique 5).

Là encore, le diagnostic en termes de moyennisation est fondé jusqu'en 1980, puisque les revenus se rapprochaient les uns des autres, les plus modestes enregistrant une hausse plus importante et les plus riches une croissance moins rapide que pour la moyenne. Néanmoins, l'écart semble s'être accru lors de la dernière période. Plus que l'apparition d'une *under-class*, les bas revenus ayant connu une dynamique un peu meilleure que la moyenne de la population en raison de l'instauration du RMI en 1989, on note surtout l'enrichissement des catégories de revenu les plus élevées. Ce n'est donc pas non plus une « aspiration vers le haut », mais un enrichissement des riches. Sans atteindre encore le degré d'inégalités qui prévaut et s'accroît toujours au sein de la société américaine d'aujourd'hui, la situation française est propice au développement du thème de la polarisation entre riches et pauvres, ou de la *shrinking middle class* ; on observe ainsi un écartèlement de la classe moyenne entre ceux qui chutent dans les catégories modestes et ceux qui s'élèvent parmi les catégories supérieures.

Vers une stratification « culturelle » ?

Pour autant, prenant acte de la forte réduction des inégalités de revenus sur l'ensemble des quarante dernières années, certains émettent l'hypothèse selon laquelle les inégalités économiques résiduelles n'ont plus de pouvoir discriminant et perdent donc de leur pertinence. Il serait possible alors que d'autres formes de distinctions apparaissent, dépassant une stratification « économique » puisque « si tout le monde est moyen, personne ne l'est » (Mendras,1994, p. 60 [2ᵉ éd de 1988]). Les clivages pertinents seraient d'une autre nature.

4. Répartition du revenu fiscal des ménages (revenu médian = 100)								
	1956	1962	1965	1970	1975	1979	1984	1990
1° décile	16,6	18,2	22,7	26,4	28,5	32,8	34,1	36,7
1° quartile	50,0	47,5	50,0	52,9	58,6	61,0	60,1	61,9
3° quartile	177,0	170,7	163,6	158,8	161,1	158,0	159,1	154,8
9° décile	281,2	274,3	263,6	252,9	239,7	231,1	236,3	227,7
19° vingtile	364,5	365,8	363,6	329,4	311,0	295,7	304,9	296,5
Écart interquartile	5,6	5,8	5,3	4,8	4,1	3,8	3,9	3,7
Revenu annuel médian des ménages (francs 1994)	43 209	52 469	63 315	78 210	97 498	107 278	109 934	117 336

Source : INSEE, revenus fiscaux des ménages ; déflateur de l'indice des prix consommation 265 postes.
Note : le neuvième décile de 1990 déclare un revenu fiscal valant 227% du revenu médian. Le premier décile de 1956 et de 1962, non représenté pour ces années, est estimé par prolongement et interpolation des courbes.

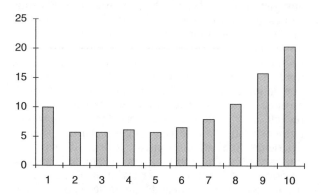

5. Croissance du niveau de vie par décile des ménages en % sur la période (1984-1994)

Source : Louis Dirn, 1998, p.106.
Note : Ménages actifs ou de moins de 60 ans ordonnés par niveau de vie *après impôt* ; chaque tranche représente 10% de l'effectif. Le niveau de vie des 10% les plus aisés de 1994 est de 20% supérieur à celui de leurs prédécesseurs de 1984.

Le diplôme et la disposition de ressources scolaires ou culturelles pourraient prendre le relais, tout particulièrement dans le contexte d'un processus de production complexe et incontrôlable selon les procédures préétablies et routinisées qui avaient marqué le système de production fordiste. Il y aurait ainsi une demande importante de travailleurs autonomes et donc disposant de qualifications pointues et diverses, et une disqualification des moins scolarisés et de ceux dont le savoir-faire est obsolescent. Par conséquent, plus que naguère, les titulaires de diplômes rares et reconnus seraient en mesure de tirer bénéfice de leur situation, tant en terme de chance d'accès au travail que de rétribution immédiate et surtout de perspectives d'avenir.

Cette hypothèse suppose alors l'émergence d'une structure sociale plus fortement déterminée par les ressources scolaires ou le « capital culturel » des agents. Cette hypothèse, très présente aux États-Unis, où la hiérarchie scolaire correspond beaucoup plus rigidement à la hiérarchie économique, est plus difficile à établir en France où la croissance scolaire des quarante dernières années produit un mouvement de croissance générationnel des qualifications contré par la dévalorisation relative des titres. L'un dans l'autre, il ne semble pas exister d'évolution univoque, sauf pour ce qui concerne l'homogamie, les époux ayant tendance maintenant à se ressembler relativement plus du point de vue de leurs diplômes que de la catégorie sociale de leurs parents (Forsé et Chauvel, 1995).

Une structure postmoderne : fragmentation et fin des frontières sociales ?

Certains auteurs comme Pakulski (1993), posent l'hypothèse d'une désagrégation des éléments principaux de ce qui avait fait la structure sociale depuis deux siècles : ce qui, d'une façon ou d'une autre, fait référence à une position des individus dans le système de production (classes, profession, et même niveau de revenu ou de diplôme, stabilité de l'emploi, etc.) perd de sa pertinence en raison de l'enrichissement général, de la diffusion du patrimoine dans tous les milieux sociaux et de l'affaiblissement des hiérarchies dans tous les domaines de l'existence. La question pertinente est en revanche celle de la position des individus dans un espace de représentations et d'appartenances symboliques où régionalisme, ethnicité, différences de genres, préférences culturelles ou de modes de vie, marquent des appartenances mouvantes et choisies, comme c'est le cas pour les environnementalistes, anti-fumeurs, végétariens, Noirs, par exemple (Pakulski, 1993, p. 285).

Les outrances des conclusions, ainsi que des prémices – nous ne sommes pas dans une société où les hiérarchies seraient radicalement bousculées – ne doivent pas faire oublier un élément important : il faut prendre acte d'une fragmentation et d'une déstructuration sociales, notamment dans le champ des comportements politiques, où les appartenances à des groupes sociaux pourraient être moins déterminantes que naguère. Mais il faut intégrer aussi cette déstructuration dans une dynamique de permanence des inégalités et de leur recomposition (Bihr et Pfefferkorn, 1999). Dans un contexte où les catégories sociales se fragmentent entre leurs membres en carrière ascendante et les autres, entre les stables et les précaires, entre ceux qui parviennent à des revenus plus élevés et les autres, entre les individus qui peuvent accumuler des droits sociaux et ceux dont la trajectoire sociale perturbée ou hachée implique une privation à terme de droits de retraite en raison d'un trop faible nombre d'années de cotisation, etc., la notion même de groupe social doit s'enrichir pour prendre en compte la diversité et la multidimensionnalité des facteurs de différenciation.

Un retour de la notion de classes sociales ?

Pourtant, au delà de cette moyennisation, héritage des Trente Glorieuses, et de cette fragmentation interne des groupes sociaux depuis, une autre hypothèse, en contrepoint, mérite d'être présentée : celle d'une possible restructuration en classes sociales de la société française. En effet, la phase de rapprochement des niveaux de revenus semble close. La mutation rapide des catégories sociales, notamment des catégories supérieures, pourrait elle aussi faire partie du passé. Même si toutes les catégories sociales sont touchées par le chômage de masse et la précarité, les catégories populaires, employés et ouvriers, paient un tribut nettement plus important.

Les nouvelles générations qui s'insèrent aujourd'hui dans l'emploi, les enfants de la génération née dans les années 40, celle qui a bénéficié de l'expansion des catégories moyennes et supérieures, pourraient trouver trop peu de places au sein des catégories cadres et professions intermédiaires pour bénéficier d'une mobilité sociale ascendante. Beaucoup pourraient alors connaître un déclassement social par rapport à leurs titres scolaires et par rapport à la catégorie de leurs propres parents. Ces changements, bien distincts de ceux de la période des Trente Glorieuses, pourraient donner lieu à une représentation moins optimiste et moins ouverte de la structure sociale. Alors que les tendances anciennes étaient propices, effectivement, à faire perdre de leur pertinence aux analyses en termes de « classes sociales », la nouvelle dynamique qui s'esquisse pourrait contribuer, bien au contraire, à un regain d'intérêt pour celles-ci. Ce ne serait que rapprocher la sociologie française d'autres traditions, anglo-saxonnes ou italiennes, où la notion n'a jamais disparu du débat sociologique. En la matière, l'avenir est très ouvert, à la mesure des incertitudes qui pèsent sur la dynamique de la structure sociale.

Louis Chauvel,
Maître de conférences à l'IEP-Paris,
Chercheur à l'Observatoire sociologique
du changement et à l'Observatoire français
des conjonctures économiques

**La société
française
contemporaine**
Cahiers français
n° 291

Groupes sociaux
et stratification
sociale

33

Références bibliographiques

Bihr Alain et R. Pfefferkorn, 1999, *Déchiffrer les inégalités*, Paris, Syros.

Castel Robert, 1995, Métamorphose de la question sociale : une chronique du salariat, Paris, Fayard.

Chauvel Louis, 1998, *Le destin des générations, structure sociale et cohortes en France au XXᵉ siècle*, Paris, PUF.

Dirn Louis, 1998, *La société française en tendances, 1975-1995 : deux décennies de changement*, Paris, PUF.

Desrosières A. et Thévenot L., 1988, *Les catégories socioprofessionnelles*, Paris, La Découverte.

Forsé M. et Chauvel L., 1995, « L'évolution de l'homogamie en France », *Revue française de sociologie*, XXXVI, pp. 123-142.

Fourastié Jean, 1979, *Les Trente Glorieuses ou la révolution invisible*, Fayard, Paris.

Héran F., 1997, « La catégorie socioprofessionnelle : réflexions sur le codage et l'interprétation », *in* E. Dupoirier et Jean-Luc Parodi, *Les indicateurs sociopolitiques aujourd'hui*, Paris, L'Harmattan, pp. 49-68.

Mendras Henri, 1988 (1ère édition) 1994, *La seconde révolution française : 1965-1984*, Paris, Gallimard.

Pakulski J., 1993, « The Dying of Class or of Marxist Class Theory ? », *International Sociology*, 8(3), pp. 279-292.

Paugam Serge, 1999 à paraître, *Le salarié de la précarité : les nouvelles formes de l'intégration professionnelle*, Paris, PUF.

Identités et expressions religieuses

La société française contemporaine
Cahiers français
n° 291

Identités
et expressions
religieuses

34

Quelle place occupe aujourd'hui la religion dans la société française ? Le long processus de sécularisation, marqué par l'émancipation des croyances, des valeurs et des comportements à l'égard du catholicisme, a transformé les comportements religieux en pratiques sociales minoritaires tandis qu'émerge progressivement un certain pluralisme religieux. Mais le mouvement de sécularisation a aussi touché les institutions traditionnelles qui encadraient les croyances et la religion est de plus en plus considérée comme une affaire personnelle, chacun étant seul juge de ses croyances et références religieuses. Pour Jean-Marie Donegani, cette privatisation du religieux ainsi que la dissociation entre identifications, croyances et pratiques éloignent d'une interprétation des évolutions récentes en termes de « retour du religieux ».

C. F.

La France est longtemps apparue comme la « fille aînée de l'Église », c'est-à-dire comme le pays où une christianisation ancienne et profonde donnait à la religion catholique une place privilégiée dans la constitution de l'identité sociale, où une part importante de la construction de l'État et de la nation devait être comprise en lien avec l'héritage religieux dont ce pays était dépositaire. Au XIVe siècle, alors que la France est le pays le plus riche et le plus puissant d'Europe, les frictions et les désaccords entre le pouvoir royal et le pouvoir pontifical ne viennent en rien compromettre la place prépondérante que revêt la référence chrétienne dans la construction de l'identité nationale. Au contraire, c'est bien sur leur rôle religieux et sacerdotal et sur l'universalité de l'adage paulinien *omnis potestas a deo* que s'appuient les souverains pour limiter les prérogatives pontificales dans la surveillance des affaires étatiques. Plus tard,

l'absolutisme monarchique ne renonce pas au fondement sacré de la fonction royale et la Révolution elle-même s'avère, malgré les difficultés nées de la constitution civile du clergé et de la guerre civile qui suivit la campagne de déchristianisation, largement imprégnée de significations religieuses. Au-delà des efforts des républicains pour construire une conscience civique détachée de la référence au christianisme, il semble bien que la séparation des Églises et de l'État et l'invention de la laïcité à la française n'aient pas véritablement entamé la très grande imprégnation de la culture civique par l'héritage du sacré chrétien.

Bien sûr, on peut avec certains historiens contester l'ampleur réelle de la christianisation du pays (1) ou insister sur la découverte que fit l'Église catholique elle-même, dans les années 30 de ce siècle, du phénomène de la déchristianisation, mais la permanence des débats touchant à ce que l'on appelait « la question religieuse » de même que l'attention particulière que les pontifes successifs ont accordé à la situation française (2) révèlent assez la place privilégiée qu'occupe la culture catholique dans l'histoire de notre pays.

Les premiers sondages, au début des années 50 (3), confirment l'ampleur de l'emprise du catholicisme dans la population française : les déclarations d'appartenance dépassent 90%, la pratique hebdomadaire concerne 28% des hommes et 49% des femmes. Encore au milieu des années 80 (4), plus de 80% des Français se déclarent catholiques, plus de 90% disent avoir été baptisés et avoir reçu une éducation religieuse, près de 90% des personnes mariées affirment l'être religieusement, 82% des catholiques déclarés souhaitent être enterrés religieusement et la même proportion trouve « très important » ou assez important que les enfants soient baptisés tandis que 69% estiment « très important » ou « assez important » que les enfants reçoivent une formation religieuse. Bref, jusqu'à une date très récente, les enquêtes dont nous disposons pouvaient permettre de conclure à une inscription encore massive de la référence catholique dans l'opinion (5).

Aujourd'hui, le diagnostic doit être plus nuancé et la France ne se distingue plus des autres pays occidentaux touchés par le mouvement de sécularisation.

(1) Jean Delumeau, *Le christianisme va-t-il mourir ?*, Paris, Hachette, 1977.
(2) Dont l'apostrophe de Jean-Paul II *France, souviens-toi de ton baptême,* ou son voyage à Reims à l'occasion de la célébration du 1 500e anniversaire du baptême de Clovis sont les plus récentes manifestations.
(3) Sondage IFOP-*Réalités*, nov. 1952.
(4) Sondage SOFRES-*Le Monde, La Vie,* France-Inter, sept. 1986. On trouvera une exploitation complète de cette enquête dans Guy Michelat, Julien Potel, Jacques Sutter, Jacques Maître, *Les Français sont-ils encore catholiques ?*, Paris, Le Cerf, 1991.
(5) Sans doute davantage dans l'opinion que dans les mœurs puisque les signes d'érosion des pratiques catholiques sont manifestes et continus depuis une vingtaine d'années : les taux de baptêmes étaient de 90% en 1958 et d'environ 50% aujourd'hui ; la proportion de mariages religieux par rapport aux mariages civils était de 79% en 1954 et de moins de 55% en 1987 ; l'assistance hebdomadaire à la messe a reflué de 32% dans l'immédiat après-guerre à moins de 10% aujourd'hui.

La sécularisation

Processus historique
et analyses sociologiques

On appelle sécularisation ce long processus de l'histoire culturelle qui se manifeste par un détachement des institutions et des mœurs à l'égard de leurs fondements religieux. C'est, au vrai, un très long mouvement, coextensif à la modernité, qui s'est traduit successivement par la séparation de l'art, de la science, de la politique, du droit et de la plupart des activités humaines des prémisses religieuses qui avaient accompagné leur naissance et leurs développements initiaux.

Pour les premiers sociologues tels Durkheim et Weber, la sécularisation était un mouvement inévitable qui se caractérisait par l'individualisme et par une séparation des sphères d'activités et de savoirs telle que la religion devenait l'un de ces domaines au lieu d'être celui qui donnait sens à tous les autres.

Mais si le diagnostic était comparable, le jugement qui l'accompagnait différait largement puisque Durkheim insistait sur les effets positifs de ce processus concernant l'autonomisation de la conscience et des actions humaines à l'égard de l'autorité de la tradition et du pouvoir religieux tandis que Weber insistait sur le « polythéisme des valeurs » auquel conduisait inévitablement le mouvement de séparation inhérent à la modernité : ni la science ni la religion n'ayant le pouvoir de dire absolument le vrai et le juste, les différents points de vue sur les valeurs entrent dans une situation de concurrence totale ne pouvant que conduire à une guerre généralisée des choix individuels et à un nihilisme de fait rendant vain, à terme, le choix même en faveur d'une option plutôt que d'une autre.

Un mouvement interne à la religion

On désigne donc par sécularisation à la fois un processus historique qui rend compte de l'évolution des sociétés et une théorie sociologique qui tente d'en rendre compte à l'intérieur d'une conception normative de la modernité et de ses effets. Dans ce cadre, la sécularisation peut être comprise comme un mouvement d'émancipation à l'égard du catholicisme et comme la traduction d'une sortie de l'humanité de l'emprise religieuse (6). Elle peut être aussi considérée comme un mouvement interne à la religion elle-même, conduisant au redéploiement des significations anciennes dans un nouveau système de plausibilité où les rapports à l'autre, et à l'altérité fondatrice des rapports humains, s'expriment sur un mode davantage marqué par l'intériorité et la subjectivité mais sans que les significations fondamentales de l'« être au monde » religieux soient pour autant rendus impertinents (7).

Les traits de ce processus, que la théorie sociologique a d'emblée assimilé à l'identité de la modernité peuvent donc se résumer dans le pluralisme culturel et la désinstitutionnalisation du religieux ainsi que dans l'individualisme, le subjectivisme et un nouveau rapport à la vérité marqué essentiellement par le relativisme. Et si l'on quitte le terrain de la théorie sociologique pour celui de l'appréhension empirique des attitudes et des comportements, on peut vérifier la pertinence de ce schéma interprétatif pour rendre compte de l'état religieux de la France contemporaine.

Pluralisme
et désinstitutionnalisation

La plupart des données dont nous disposons aujourd'hui pour connaître le rapport des Français à la religion proviennent de sondages et, en raison des masses statistiques en présence, l'essentiel de nos connaissances concernent le catholicisme, très largement majoritaire, plutôt que les autres religions. Pourtant, depuis quelques années quelques enquêtes portent spécifiquement sur ces religions minoritaires que sont le protestantisme, le judaïsme ou l'islam et ce déplacement de la curiosité scientifique ou journalistique est en lui-même un signe de l'évolution culturelle de notre société plus marquée qu'autrefois par le pluralisme ou du moins par la conscience de sa légitimité.

La société
française
contemporaine
Cahiers français
n° 291

Identités
et expressions
religieuses

35

Appartenances religieuses
et affirmation d'un pluralisme

Depuis de nombreuses années, les données concernant les déclarations d'appartenance religieuse apparaissaient à peu près stables mais elles semblent récemment marquer une chute très sensible. En 1977 comme en 1986 on comptait 81% de catholiques, 3,5 ou 4% d'autres religions et 15,5 ou 16% de sans religion. En 1994, les catholiques déclarés ne sont plus que 67%, les autres religions représentent 8% et les sans religion s'élèvent à 23% (8). Dans l'attente d'autres enquêtes confirmant ou infirmant cette évolution on doit prendre en compte cette apparente rupture et prendre au sérieux l'hypothèse d'un recul très sensible de l'identité catholique dans la société française.

Parmi les « autres religions », on compte d'après le sondage de 1994 2% de protestants, 1% de juifs et 2% de musulmans. Mais l'évaluation précise de ces minorités religieuses est particulièrement difficile à établir et varie beaucoup suivant les indicateurs choisis. Les estimations de la population se déclarant musulmane oscillent entre 1 500 000 et 4 000 000 (ce qui fait ainsi de l'islam la deuxième religion de France par ses effectifs), celles de la population se réclamant du judaïsme entre

---

(6) C'est la position par exemple de Comte, Spencer, Durkheim ou Sorokin.
(7) C'est une position que l'on retrouve dans des approches théologiques, philosophiques et sociologiques très différentes telles que celles de Weber, Bonhoeffer, Gogarten, Parsons, Cox, Berger, Luckmann, Fenn, etc.
(8) Sondages SOFRES commentés dans Hugues Portelli, « L'évolution politiques des catholiques », Sofres, *L'état de l'opinion 1994*, pp. 179-199, Paris, Seuil, 1994. Sondage CSA-*Le Monde, La Vie, L'Actualité religieuse dans le monde,* Le forum des communautés chrétiennes, janvier 1994, commenté dans *L'Actualité religieuse dans le monde*, 122, 15 mai 1994.

500 000 et 700 000 (9). En ce qui concerne la population protestante, les estimations des Églises réformées donnaient au début des années 80 environ 850 000 fidèles tandis que deux sondages de 1980 et 1995 recensaient entre 1 400 000 et 2 000 000 de personnes se déclarant « proches du protestantisme » (10). Si le nombre de protestants « avérés » reste stable (environ 2%), il semble que le nombre de personnes d'origine catholique se déclarant plus proches du protestantisme ait quelque peu diminué, passant de 2,2 à 1%, et l'on peut voir dans cette évolution un signe de la confirmation de la sécularisation croissante de notre société.

Deux conclusions provisoires sont à tirer de ces premiers chiffres : d'une part le pluralisme religieux de la France s'affirme dans la mesure où commencent à être exprimées et reconnues d'autres allégeances que celle à la religion majoritaire ; d'autre part la désinstitutionnalisation de la référence religieuse se manifeste de plus en plus puisque les déclarations d'appartenance subjective se détachent des références obligées et des héritages imposés : parmi les « sans religion » déclarés en 1994, 45% d'entre eux disent « avoir déjà eu une religion ».

La désinstitutionnalisation du religieux ne se décèle pas seulement dans l'évolution des déclarations d'appartenance mais aussi dans la dissociation nouvelle qui semble s'opérer entre l'identité religieuse et les gestes traditionnellement associés à celle-ci.

Un déclin des pratiques religieuses traditionnelles

Si une grande majorité de Français se déclarent catholiques, c'est une minorité d'entre eux qui souscrit aux obligations cultuelles accompagnant cette référence. La pratique régulière diminue continuellement depuis une vingtaine d'années : 21% en 1974, 17% en 1977, 14% en 1983, 13% en 1988, 12% en 1993. Les personnes assistant à la messe hebdomadaire, incarnation de la figure du fidèle, représentaient entre le tiers et le quart de la population adulte au début des années 60, ils ne sont plus que 9 à 10% aujourd'hui. Cette baisse est particulièrement sensible chez les plus jeunes : la pratique hebdomadaire ne concerne plus que 2% des 18-24 ans (11). Dans l'autre sens, la pratique occasionnelle (23%) et l'absence de pratique (51%) caractérisent la grande majorité des personnes ayant déclaré une appartenance au catholicisme.

Le plus important ici ne tient pas seulement dans la désaffection à l'égard du culte mais dans l'affirmation que l'identité religieuse ne s'exprime plus de manière privilégiée par ces gestes obligés et traditionnels. A la question *« Pour vous, qu'est-ce qu'être chrétien aujourd'hui ? »*, les réponses sont dans l'ordre : *« Aider ceux qui en ont besoin autour de soi »* (47%), *« Mener une vie familiale unie »* (39%), *« Donner une éducation religieuse à ses enfants »* (27%), *« Prier, penser à Dieu »* (24%), *« Respecter les recommandations morales de l'Église »* (23%), *« S'engager dans les mouvements humanitaires pour les droits de l'homme »* (16%), *« Vivre l'idéal de l'Évangile »* (13%), *« Faire connaître la foi »* (11%), *« Aller régulièrement à la messe »* (8%),

« S'engager dans des mouvements catholiques » (8%) (12). Les signes traditionnels et collectifs privilégiés par l'institution arrivent en dixième et onzième positions tandis que sont mis en avant la croyance personnelle et les comportements quotidiens inspirés par la référence religieuse.

En ce qui concerne le protestantisme et l'islam pour lesquels on dispose d'enquêtes récentes, la désaffection à l'égard de la pratique se manifeste également, à des degrés divers. Chez les personnes se déclarant proches du protestantisme en 1995, 15% ne fréquentent jamais le temple ou l'église et 26% seulement pour les cérémonies de type mariage ou enterrement, soit une proportion de non pratiquants à peu près comparable à celle que l'on rencontre chez les catholiques déclarés. Chez les musulmans, 69% ne prient pas chaque jour, 84% ne vont pas à la mosquée le vendredi et seul le jeûne du Ramadan touche une large proportion de pratiquants, soit 60 à 70%. Entre 1989 et 1994, les signes d'érosion de la pratique sont manifestes, surtout pour la pratique occasionnelle et la prière (13). Et l'âge revêt ici une importance capitale puisqu'un degré élevé de pratique concerne en 1989 69% des musulmans âgés de 50 ans et plus, mais seulement 19% des 18-24 ans (14). Si l'islam français est touché par la sécularisation qui marginalise et privatise la pratique religieuse, il semble mieux résister que les religions chrétiennes à ce mouvement général de la société puisque 13% seulement des musulmans ne déclarent aucune pratique. Les enquêtes de l'INSEE sur la pratique religieuse, qui reposent sur leur qualification subjective par les personnes interrogées, donnent une légère augmentation de la pratique en une dizaine d'années, toutes religions confondues, mais cette augmentation ne concerne en réalité que les personnes âgées (15). Parallèlement, la part des personnes n'ayant aucun rapport avec une religion, ni sentiment d'appartenance ni pratique, a augmenté puisqu'elles étaient 22% en 1987 et sont 25% en 1996 et cette évolution touche toutes les tranches d'âge (16). Cette enquête révèle aussi, comme bien d'autres précédemment, que la pratique d'une religion est essentiellement héritée des parents.

(9) Zohor Dijider, Maryse Marpsat, « La vie religieuse : chiffres et enquêtes », *Données sociales 1990*, Paris, INSEE.
(10) Sondage CSA-*L'Actualité religieuse, La Vie*, Fédération protestante de France etc., commenté dans *L'Actualité religieuse*, 15 octobre 1995.
(11) Guy Michelat, « Pratiques et croyances religieuses : détachements et hétérodoxies », pp. 43-63 *in* Yves Lambert, Guy Michelat, *Crépuscule des religions chez les jeunes ?*, Paris, L'Harmattan, 1992.
(12) Sondage SOFRES-*La Croix*, avril 1985.
(13) Sondage IFOP-*Le Monde, La Marche du siècle, RTL*, septembre 1994.
(14) Guy Michelat, « Pratiques et croyances religieuses : détachements et hétérodoxies », *op. cit.*
(15) Xavier Niel, « L'état de la pratique religieuse en France », *INSEE Première*, 570, mars 1998.
(16) Si l'on prend le critère le plus lâche du lien religieux en proposant aux personnes interrogées une liste de pratiques et en leur demandant s'il leur est arrivé de les observer au cours des douze derniers mois, 18% des Français et 10% des catholiques déclarés peuvent répondre « rien de tout cela » mais 64% des Français et 71% des catholiques ont assisté à une cérémonie religieuse pour un baptême, une communion, un mariage ou un enterrement, 35% des Français et 45% des catholiques sont allés à la messe, 31% des Français et 38% des catholiques ont prié, 20% des Français et 25% des catholiques ont communié. Sondage SOFRES-*Le Figaro*, novembre 1994.

Trois modèles identitaires pour les catholiques

A mesure que les signes se manifestent d'une désinstitutionnalisation de la référence religieuse et d'un décalage entre les déclarations d'appartenance et les pratiques qui y étaient traditionnellement associées, on assiste à une pluralisation des identités qui engage à revoir la manière dont la sociologie se représente le champ religieux comme un dégradé de cercles concentriques allant du noyau des pratiquants réguliers vers la périphérie des non pratiquants et des sans religion (17).

Ainsi, parmi les systèmes de représentations que l'on peut découvrir en recourant à l'enquête non directive où on laisse les interviewés définir eux-mêmes « *ce que c'est que d'être catholique pour eux aujourd'hui* », on constate qu'un seul modèle s'organise autour de l'adhésion institutionnelle et de la pratique. Les deux autres modèles d'identité religieuse intégrale, regroupant les interviewés qui disent unifier l'ensemble de leurs comportements et de leurs rôles autour du pôle religieux de leur vie, se situent hors de cette logique d'appartenance traditionnelle. Pour l'un de ces modèles qui rappelle en bien des points la culture de l'Action catholique, c'est la solidarité avec les plus pauvres et l'engagement dans tout un peuple de croyants qui apparaît comme le signe du catholicisme inscrit dans la vie entière. Pour l'autre, c'est autour de la reprise à son propre compte, en première personne, des héritages religieux, c'est autour de l'affirmation d'une liberté individuelle placée sous le signe de l'Évangile et détachée de la référence institutionnelle que se définit l'identité religieuse (18).

Ainsi, chez les catholiques les plus intégrés, on décèle déjà trois cultures que tout oppose : les modes de vie, les choix de valeurs et les modes même de l'expression religieuse puisque la référence à la pratique cultuelle n'est affirmée que dans l'une d'entre elles. Et chez les autres groupes d'enquêtés, ceux pour qui le catholicisme est une référence qui entre, mais parmi d'autres, dans la constitution de leur identité, une même diversité se fait jour. Ces résultats d'enquête qualitative nous révèlent que l'on est sorti aujourd'hui de l'ancienne partition entre l'appartenance monolithique et l'extériorité ou la dissidence assumée et qu'il n'y a plus à proprement parler de noyau univoque qui définirait la culture catholique. Le catholicisme n'apparaît plus comme un bloc unifié mais comme une sorte d'archipel culturel marqué par une extrême diversité et comme un héritage ouvert de significations et de valeurs dans lequel on peut venir puiser librement pour construire sa propre vision de monde sans sanction ni obligation.

Subjectivisme et relativisme

Si un pluralisme et une désinstitutionnalisation des références religieuses se font ainsi jour, c'est que celles-ci sont profondément marquées par les traits de la modernité libérale qui confie à l'autorité du sujet individuel et relègue dans le for interne tout ce qui touche aux croyances et aux convictions. La partition entre sphère privée et sphère publique est constitutive des rapports que les individus entretiennent avec les réalités religieuses. Pour la plupart des personnes interrogées, l'Église est légitimée comme toute autre institution à intervenir dans la sphère publique sur des questions touchant aux droits de l'homme, au développement ou aux questions socio-économiques mais elle est répudiée quand elle affirme son magistère moral sur questions considérées par l'opinion comme relevant de la conscience privée, qu'il s'agisse de la sexualité ou des choix électoraux (19).

La religion, une affaire personnelle

La religion apparaît ainsi comme une question personnelle dans laquelle les institutions sociales, et même les Églises, n'ont pas à intervenir et les signes sont très nombreux de cette inscription radicale des choix religieux dans la sphère privée. Ainsi, 71% des Français sont d'accord avec la proposition selon laquelle « *C'est à chacun de définir sa religion indépendamment des Églises* » et 83% disent tenir compte avant tout de leur conscience dans les grandes décisions de leur vie (1% tiennent compte avant tout des positions de leur Église, 9% des deux, 6% ni de l'une ni de l'autre) (20). Cette attitude est bien le signe d'une indépendance privée à l'égard des institutions religieuses et du contrôle social sur les convictions personnelles et non pas d'un désintérêt à l'égard de la religion puisque dans le même temps 18% seulement des personnes interrogées expriment leur accord avec la proposition « *Maintenant j'en ai fini avec la foi* », 17% avec la proposition « *Un jour toutes les religions disparaîtront* », 32% avec la proposition « *Croire en Dieu n'est plus nécessaire à notre époque* » tandis que 67% estiment que « *La foi aide à supporter les épreuves de la vie* » (21). Si 19% des Français se qualifient d'« incroyants » et 14% de « sceptiques », les autres se jugent « croyants » (convaincus 24%, par tradition 24%, incertains 17%) (22). Sous une autre formulation l'indice se confirme d'une pertinence encore importante de la référence religieuse dans les

La société française contemporaine
Cahiers français
n° 291

Identités
et expressions
religieuses

37

(17) Françoise Champion, Yves Lambert, « Les "12-15 ans" et la religion », pp. 65-91 *in* Yves Lambert, Guy Michelat, *op .cit.*
(18) Jean-Marie Donegani, *La liberté de choisir. Pluralisme religieux et pluralisme politique dans le catholicisme français contemporain*, Paris, Presses de la FNSP, 1993.
(19) Dans l'enquête européenne de 1990 sur les valeurs, les personnes interrogées estiment normal que les Églises interviennent sur les problèmes du Tiers-Monde (70%), la discrimination sociale (55%), le désarmement (48%), l'euthanasie (47%), moins sur l'écologie et les problèmes d'environnement (38%), le chômage (36%), l'avortement (35%), l'infidélité conjugale (34%), encore moins sur l'homosexualité (26%) et la politique du gouvernement (15%). Cf. Yves Lambert, « Un paysage religieux en profonde évolution », pp. 123-162 *in* Hélène Riffault (dir.), *Les valeurs des Français*, Paris, PUF, 1994.
(20) Sondage CSA-*Le Monde* etc. janvier 1994.
(21) *Id.*
(22) *Id.*

identifications subjectives puisque 48% des Français peuvent se définir comme « *quelqu'un de religieux* » (23). Le subjectivisme ne se manifeste pas seulement à l'égard du rapport qu'entretiennent les individus avec les institutions religieuses mais vient colorer leur attitude à l'égard des croyances fondamentales de la tradition chrétienne. Le mode d'adhésion le plus fréquent se présente sous la forme d'une probabilité plutôt que d'une certitude. A la question concernant l'existence de Dieu, la réponse aujourd'hui la plus fréquente n'est ni « certaine » (29%), ni « improbable » (17%), ni « exclue » (18%) mais « probable » (32%) (24). Et lorsque l'on compare les réponses concernant les croyances, sur une quarantaine d'années de sondages, on constate que c'est le possibilisme qui gagne du terrain et non pas la certitude croyante ou l'athéisme convaincu. Comme si la conviction assurée, dans un sens ou dans l'autre, ne définissait plus aujourd'hui le rapport au croire en ne laissant pas une place suffisante à la liberté du sujet toujours susceptible de se déterminer dans un sens ou dans un autre selon les expériences et les circonstances.

Cette modalité du croire est profondément en accord avec la culture moderne en ce qu'elle ne se légitime plus d'une tradition ou d'une autorité mais d'une expérience à laquelle le sujet peut prétendre avoir ou avoir eu accès. Elle néglige les solidarités concrètes et les médiations institutionnelles et inscrit le sujet dans l'affirmation d'une performance personnelle de sens. Les effets de ce subjectivisme dominant se font sentir au-delà des croyances et des pratiques proprement religieuses puisque 69% des pratiquants réguliers de moins de trente ans conçoivent la morale comme relevant de la conscience personnelle et dépendant des circonstances tandis que les plus âgés sont encore attachés à une morale intangible dont les principes s'appliquent en toute circonstance (25).

Bricolage des croyances et développement du relativisme

Ce subjectivisme conduit les individus à apprécier les principales propositions de croyances par rapport à leur plausibilité et à les vivre comme le résultat d'un libre choix. Ainsi, parmi les principaux éléments du dogme chrétien certains tels que l'existence de Dieu, la résurrection du Christ et sa filiation divine, les miracles ou le pardon des péchés sont affirmés par une majorité d'enquêtes tandis que d'autres sont délaissés comme la présence réelle dans l'eucharistie, la résurrection des morts, le jugement dernier ou la Trinité. Un signe particulièrement parlant de ce nouveau rapport aux croyances marqué par le principe de plausibilité et d'utilité peut être trouvé dans le fait que les catholiques déclarés croient majoritairement au paradis mais non à l'enfer ou au purgatoire, acquiesçant ainsi aux croyances génératrices d'espoir et délaissant celles susceptibles d'entraîner de l'inquiétude (26).

Cette dérégulation des croyances se manifeste aussi par la croissance dans l'opinion des croyances dans le paranormal ou dans l'adhésion conjointe à des thèmes incompatibles tels que la résurrection et la réincarnation.

En 1993, 55% des Français disaient croire à la guérison par magnétiseurs et à la transmission de pensée, 46% à l'explication des caractères par l'astrologie, 35% aux rêves qui prédisent l'avenir. Même la croyance la moins répandue, celle dans les fantômes et les revenants recueillait 11% d'adhésion contre 5% en 1982 (27). Et ces croyances ne rencontrent guère l'adhésion des pratiquants réguliers et des sans religion alors qu'elles fleurissent chez les catholiques plus ou moins détachés, comme si les systèmes cohérents d'explication du monde retiraient de la plausibilité à ces croyances parallèles.

La connaissance et l'acceptation du pluralisme des références religieuses et le développement de cette conviction que c'est à chacun de définir ses croyances et ses valeurs hors de toute dictée et de toute emprise institutionnelle s'accompagnent d'une attitude relativiste à l'égard de la vérité. Aujourd'hui 78% des personnes interrogées sont en désaccord avec la proposition « *Il n'y a qu'une seule religion qui soit vraie* » (28). Seulement 11% des 18-24 ans adhèrent à cette proposition alors qu'en 1952 45% des 20-34 ans baptisés tenaient une telle opinion. Et lorsqu'une formulation plus précise permet de connaître, auprès des 12-15 ans, la raison affichée de ce relativisme radical, la réponse la plus fréquemment choisie n'est pas « *parce les religions disent toutes la même chose* » ou « *parce qu''elles sont toutes fausses* » mais « *parce que c'est au choix de chacun* ». Il y a une véritable logique de l'individualisme moderne qui conduit de la séparation au subjectivisme et du subjectivisme au relativisme de telle manière que les questions touchant au statut de la vérité ne sont pas délaissées mais confiées entièrement à la souveraineté de la conscience individuelle hors de toute contrainte et, au moins apparemment, de toute détermination extérieure.

Un retour du religieux ?

Mais s'il y a bien un lien logique qui associe le pluralisme culturel, le subjectivisme et le relativisme, il faut bien voir que cette relativisation de la vérité personnelle est plus étroitement liée à la conviction touchant à la souveraineté du sujet qu'aux effets structurels de la pluralisation du marché religieux. En effet, on ne doit pas être aveuglé par la visibilité médiatique de l'intérêt pour la « nébuleuse mystico-

La société française contemporaine
Cahiers français
n° 291

Identités et expressions religieuses

38

(23) « *Indépendamment du fait que vous êtes pratiquant ou non, diriez-vous que vous êtes quelqu'un de religieux* (48%), *de non religieux* (36%), *un athée convaincu* (11%) ». Enquête européenne de 1990 sur les valeurs (résultats donnés ici pour la France). Cf. Yves Lambert, « Un paysage religieux en profonde évolution », *art. cit.*
(24) *Id.* De même à propos d'un question telle que « *Selon vous qu'y a-t-il après la mort ?* », la réponse la plus fréquente est « *Quelque chose mais je ne sais pas quoi* ».
(25) Enquête européenne sur les valeurs de 1990. Cf. Yves Lambert, « Vers une ère post-chrétienne ? », *Futuribles*, n°200, juillet-août 1995, pp. 85-111.
(26) Sondage SOFRES-*Le Figaro*, novembre 1994.
(27) Daniel Boy, Guy Michelat, « Les Français et les para-sciences », pp. 201-217 in Sofres, *L'état de l'opinion 1994*, Paris, Seuil, 1994.
(28) Sondage CSA-*Le Monde* etc. novembre 1994.

ésotérique », pour les religions orientales ou la mouvance charismatique qui conduit certains observateurs à parler d'un « retour du religieux ».

Ce retour supposé du religieux ne vient en rien contredire l'interprétation du mouvement de nos sociétés en termes de sécularisation. Tout d'abord parce que cette curiosité pour les nouveaux mouvements religieux touche quelques centaines de milliers d'individus alors que les principaux traits du mouvement de sécularisation en concernent des dizaines de millions. Ensuite parce, si un intérêt se manifeste en effet pour de nouvelles expressions ou d'autres traditions religieuses, il s'ancre dans ce subjectivisme inhérent au mouvement de sécularisation qui présente les significations religieuses comme détachés des institutions et disponibles pour une réappropriation privée. Autrement dit, ce que l'on appelle parfois le retour du religieux et qui se manifeste par le bricolage des croyances et une curiosité syncrétique sous la seule autorité de la conscience individuelle, est d'abord la conséquence d'un mouvement plus large de désinstitutionnalisation et de privatisation du religieux dont les premières conséquences sont une victoire de l'indifférentisme et une croissance de l'indifférence.

La religion dans la société contemporaine

Il faut noter à cet égard que la France semble rejoindre un modèle de rapport au religieux qui est celui des sociétés marquées par la culture protestante. Aujourd'hui, en Europe, les différences entre protestants et catholiques sont moins apparentes sur la plupart des thèmes moraux et religieux que celles opposant les chrétiens aux « sans religion ». Car le refus affirmé de la religion va toujours de pair avec des valeurs éthiques, sociales et politiques qui allient humanisme de gauche, libéralisme culturel, anti-autoritarisme et volonté participative (29). En France, sur la plupart des thèmes que l'on a évoqués, les protestants semblent plus attachés encore que la majorité des catholiques à la liberté personnelle dans la définition des choix religieux mais aussi à l'acceptation d'une sécularité qui peut conduire de l'indifférentisme à l'indifférence (30).

Dans l'autre sens, les musulmans affichent des attitudes plus ambivalentes à l'égard de la sécularisation. Certes, la pratique diminue, on l'a dit, surtout chez les plus jeunes, mais dans des proportions moins importantes que pour les autres religions. A la lecture des enquêtes d'opinion, la ligne de partage entre sphère privée et sphère publique et entre foi et citoyenneté est délicate à établir. 49% estiment qu'être musulman ne concerne que la vie privée mais la même proportion juge que leur foi englobe tous les aspects de la vie. Les musulmans de nationalité française sont partagés entre le sentiment d'être avant tout Français (35%), avant tout musulman (34%) ou autant l'un que l'autre (31%). Toutefois, ces incertitudes identitaires ne sont pas primordiales tant leur vécu de l'islam s'accorde bien à leur appartenance à la société française. La pratique de l'islam est unanimement jugée compatible avec le respect des lois de la République (87% contre 10%) et

la situation en France leur apparaît satisfaisante pour pratiquer leur religion (78% contre 19%). Surtout, les musulmans de France s'expriment en faveur d'une modernisation de leur religion plus qu'ils ne penchent pour une lecture traditionaliste. La critique moderniste de la foi islamique et la préférence pour une version laïcisée de leur religion s'exprime (surtout chez les femmes) par le souhait d'un développement du droit des femmes, de la liberté individuelle et de la démocratie politique (31).

Il reste que l'attitude maintenant dominante à l'égard des pratiques à accomplir comme des vérités à croire, et qui fait du sujet individuel le seul juge de son rapport aux réalités religieuses, entraîne une certaine indétermination des frontières du peuple croyant et rend problématique l'identité des institutions ecclésiales. La dissémination des croyances et la dissociation entre identifications, croyances et pratiques rendent désormais difficilement repérables les groupes religieux en tant que groupes. Cette sorte d'errance et de flottement des significations religieuses, détachées du contrôle institutionnel et rendues disponibles pour une réinterprétation esthétique et une appropriation strictement privée, peut conduire à une interprétation de l'évolution de la société française comme de la plupart des autres sociétés occidentales en termes de déchristianisation, de « sortie de la religion » (32) ou d'« ère post-chrétienne » (33). Mais l'inconvénient de ce diagnostic est qu'il postule un savoir objectif et définitif de l'observateur sur ce que seraient l'essence de la religion et en particulier l'identité substantielle du christianisme. Le sociologue pourrait dire plus simplement avec les responsables mêmes de l'institution qu'une figure du christianisme est en train de passer tandis qu'une autre se dessine, qu'il n'y a pas d'extériorité de la référence chrétienne par rapport à la société et qu'il convient seulement de se donner les moyens d'interpréter les signes par lesquels aujourd'hui comme en d'autres temps les croyants la mobilisent et l'actualisent (34).

Jean-Marie Donegani,
Directeur de recherche au CNRS,
Professeur à l'Institut d'études politiques de Paris

(29) P. Bréchon, « Les valeurs politiques en Europe : effet du contexte national et des attitudes religieuses », *Archives de Sciences sociales des Religions*, 1996, 93 (janvier-mars), pp. 99-128.
(30) Ainsi 29% d'entre eux sont d'accord avec la proposition « *Maintenant j'en ai fini avec la foi* » et 90% sont en désaccord avec la proposition « *Il n'y a qu'une seule religion qui soit vraie* ».
(31) Sondage SOFRES-*Le Nouvel Observateur*, décembre 1997-janvier 1998.
(32) Marcel Gauchet, *Le désenchantement du monde*, Paris, Gallimard, 1987.
(33) Yves Lambert, *art. cit.*
(34) Dans le prolongement de la constitution *Gaudium et Spes* et du décret sur la liberté religieuse du dernier concile, qui font reposer l'identité religieuse sur la liberté et le désir personnels et rompent profondément avec la définition juridique et objective de l'appartenance, la dernière *Lettre aux catholiques de France* publiée par l'épiscopat en 1997 développe ce thème d'une union intime entre l'Église et sa société et son temps, telle que la tâche des pasteurs consiste d'abord à reconnaître les traits de l'identité ecclésiale dans les multiples confessions de foi de ceux qui se disent chrétiens. Cf. Conférence des évêques de France, *Proposer la foi dans la société actuelle*, 3 tomes, Paris, Le Cerf, 1994, 1995, 1997.

Immigration

La société française contemporaine
Cahiers français
n° 291

Immigration

40

Peut-on lutter efficacement contre les discriminations sociales si l'on ne connaît pas l'ampleur et la nature des difficultés que rencontrent les personnes concernées ? A cet égard, les catégories statistiques d'« immigrés » ou d'« étrangers » sont largement insuffisantes. Outre les confusions et amalgames qu'elles véhiculent, elles ignorent les personnes nées en France de parents immigrés, dont beaucoup sont Françaises ou en passe de le devenir, et donc conduisent à sous-estimer les difficultés d'intégration sociale et les discriminations dont sont victimes ces populations.
Pour Michèle Tribalat, il convient aujourd'hui de formuler autrement la question de l'« immigration » en mettant moins l'accent sur la seule législation concernant l'entrée et le séjour des étrangers que sur les problèmes sociaux touchant les personnes d'origine étrangère.

C. F.

Le débat sur l'immigration empoisonne la vie politique française depuis bientôt vingt ans. Rien n'a été fait, jusque récemment avec la remise du rapport Weil (1) et les suites législatives qu'on lui connaît, pour arrimer le débat à la réalité et faire retomber, ainsi, la ferveur excessive qu'il mobilise. La passion de l'engagement a répondu à la dramatisation du péril migratoire. Là où il aurait fallu convaincre patiemment, argumenter, on s'est ému, mobilisé contre, on a manifesté, dénoncé... Comme l'a démontré Pierre-André Taguieff dans nombre de ses ouvrages, les stratégies diverses déployées pour contrer l'argumentaire de l'extrême-droite sur le terrain de l'immigration ont été peu efficaces (2). On a cherché à contrer ce discours à tout prix sans grand souci de rechercher les arguments permettant de s'approcher le plus près possible de la réalité. En matière statistique, les confusions et amalgames, le faible souci de transparence d'une administration peu armée sur le plan méthodologique et désireuse, avant tout, de contrôler l'information diffusée, le mépris du citoyen

à qui l'on refuse une cer[...]ité se sont ajoutés à un système statis[...] dapté pour brouiller un peu plus le dé[...]

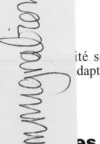

Confusions et a[...]es

Une écoute un peu plus attentive, ce qui suppose de rechercher la petite parcelle de vérité contenue dans les propos tenus par l'opinion publique, aurait dû permettre d'identifier certains amalgames. Pour débattre, il faut s'assurer que les propos échangés portent bien sur le même objet. En matière d'immigration rien n'est moins sûr. Lorsqu'on compare l'insatisfaction récurrente qui s'exprime dans les sondages (sentiment que la proportion d'immigrés est trop forte – 58% en 1997 – et que le nombre d'immigrés n'est pas le même qu'il y a dix ans – 66% en 1997) (3) à la réalité de l'évolution de la population immigrée depuis l'après-guerre et à l'acharnement législatif, depuis vingt ans, pour limiter le nombre d'entrées, on est bien obligé de s'interroger sur l'objet du débat, si l'on veut dépasser l'interprétation par le fantasme collectif ou par l'impuissance politique. En effet, pour certains, l'opinion publique traumatisée par le renversement de conjoncture se trompe, et ses fantasmes répondent au besoin de disposer d'un bouc émissaire. De son côté, l'opinion, insatisfaite, estime que les pouvoirs publics l'abusent et cherchent à dissimuler l'ampleur du phénomène et leur propre impuissance à le maîtriser en maquillant la réalité, d'où cette défiance absolue à l'égard des chiffres.

Immigration, immigrés, étranger

On ne sait plus très bien au juste de quoi l'on parle quand on parle d'immigration, d'immigrés. Au sens strict, l'immigration désigne le mouvement, l'acte quasi instantané de venir dans un autre pays, en l'occurrence la France. La plupart des pays restreignent l'usage de ce mot pour désigner les entrées de personnes qui s'installent, pour une certaine durée sur leur territoire. Il est impossible de compter exactement tous les passages aux frontières et l'on décide généralement de compter comme immigrant toute personne qui reste au moins trois mois, six mois, un an selon le cas. Certains pays tiennent la comptabilité des flux de leurs nationaux et des étrangers, d'autres n'ont d'informations que sur ces derniers (c'est le cas de la France).

(1) Cf. *Mission d'étude des législations de la nationalité et l'immigration*, Paris, La Documentation française, coll. « Rapports officiels », juillet 1997.
(2) Cf., notamment, *La République menacée*, Paris, Textuel, 1996 et *Face au Front national, Arguments pour une contre-offensive* (en collaboration avec Michèle Tribalat), Paris, La Découverte, 1998.
(3) Enquête SOFRES du 24 au 26 septembre 1997. Cf. « Le Front national à l'épreuve du temps », Gérard Le Gall, *in L'état de l'opinion 1998*, Paris, Seuil, 1998.

Le terme d'immigré vise l'état d'une personne qui est née à l'étranger et a, à un moment ou à un autre, connu l'immigration. Un usage restrictif cantonne l'emploi de ce terme aux seuls immigrés entrés en France alors qu'ils étaient de nationalité étrangère. Un immigré étranger qui devient français reste un immigré. On confond aussi étrangers et immigrés alors que les premiers n'ont pas forcément vécu la migration, mais se caractérisent par leur nationalité étrangère, et que les seconds ont connu la migration mais peuvent être de nationalité française. Ces confusions apparaissent très clairement dans les discours sur le « droit de vote des immigrés », alors qu'un immigré devenu Français a le droit de voter et qu'on devrait parler du droit de vote des étrangers. Que dire des aberrations verbales du type « migrants de la deuxième génération » ? Comment peut-on à la fois être né en France et immigré ?

L'usage polysémique de ces termes pour désigner tout ce qui, de près ou de loin, a quelque rapport avec l'immigration est devenu courant et touche toutes les sphères de la société : ceux qui discourent savamment sur le phénomène – médias, politiques, chercheurs (4)... – comme ceux qui expriment une opinion, un sentiment. Approximations faciles pour les uns, amalgames au faciès pour les autres, le résultat est le même : la confusion, l'amalgame et la difficulté à fonder un discours sur une réalité chiffrée. Or, la statistique ne peut se satisfaire de catégories inconscientes aux contours flous. Dans la sphère savante, les mêmes, qui ont ces « écarts de langage », ne sont pas gênés lorsqu'il s'agit d'utiliser, à l'appui de leur discours, des chiffres décalés. La délinquance en offre un exemple frappant. On n'a guère de scrupules à s'appuyer, pour disserter sur la part prise par les populations d'origine étrangère dans l'activité délinquante, sur les statistiques policière et pénale ne distinguant que la nationalité et argumenter à l'infini sur les raisons structurelles de la plus forte proportion d'étrangers qu'elles indiquent. Ces décalages constants entre discours et support chiffré sont imperceptibles à une opinion publique qui pratique inconsciemment l'amalgame. La perception commune, confortée par les amalgames pratiqués par les élites, comprend « étranger » dans un sens plus vaste que le sens juridique. Les Français auront tendance à ne faire aucune différence entre, par exemple, un Marocain de vingt-cinq ans qui vient d'arriver et un Français du même âge né en France de parents marocains. Là où la statistique des étrangers n'en compte qu'un, ils en voient deux.

La réalité des perceptions collectives

L'usage extensif du terme immigration ne permet pas à l'opinion publique de se figurer, de manière réaliste, ce qui peut être fait pour réduire l'« immigration étrangère », et l'illusionne sur ce qu'autorise un cadre législatif respectueux des principes inscrits dans la Constitution française. Puisque sont inclus, par quasiment tout le monde, dans cette immigration, des personnes nées en France et même françaises, peut-

on réduire « l'immigration » en faisant disparaître ces Français, et si oui comment ? Lorsque s'exprime, dans l'opinion publique, le souhait de voir réduire l'immigration, les gens sous-entendent alors, non pas tant l'assèchement du flux de personnes qui entrent chaque année en France, mais plus globalement la diminution des populations d'origine étrangère qu'ils côtoient tous les jours dans leur vie quotidienne.

Il y a donc beaucoup d'artifices à faire comme si les divers aménagements en matière de contrôle des entrées jouaient un rôle décisif dans la réduction de « l'immigration », telle que l'entendent la plupart des gens. Aurait-on trouvé le moyen miraculeux de fermer hermétiquement les frontières que le souhait de réduire « l'immigration » persisterait. Par ailleurs, la plupart des gens appréhendent un phénomène d'après leur vécu immédiat. Ce sont donc les situations locales, concrètes, qu'ils connaissent qui vont alimenter une partie de leur représentation du phénomène migratoire. La distorsion entre une vision globale du phénomène migratoire en France et les réalités locales ajoute donc au malentendu. Les données que l'on présente sur la situation nationale font la moyenne de réalités locales très contrastées et sont, à ce titre, jugées suspectes.

Une connaissance statistique difficile à établir

L'enrôlement de la statistique au détriment de la réflexion

Les manipulations statistiques opérées par l'extrême-droite pour essayer de faire entrer la réalité dans les conditions requises par sa doctrine sont désormais célèbres. Mais la mobilisation du chiffre par certains critiques a freiné le développement d'une réflexion autonome débordant les limites du débat que l'extrême-droite essayait d'imposer. Comment y parvenir lorsqu'on s'interroge en permanence pour savoir si tel ou tel résultat risque d'apporter de l'eau au moulin de l'extrême-droite ? Cet enrôlement de la statistique au service de la cause a également inhibé la réflexion méthodologique. Paradoxalement, les discours, construits à partir d'éléments statistiques fondés sur les seuls étrangers, ont contribué à donner du sens aux arguments de l'extrême-droite, non seulement sur une soi-disant déroute de l'administration française face à l'immigration étrangère, mais aussi sur les velléités de celle-ci de cacher l'ampleur des problèmes aux Français. Le chiffre doit être républicain. Sa pertinence est secondaire. Si l'on met de côté la mauvaise foi et les intrigues qui ont parasité les débats récents sur le

(4) On remarquera à cet égard l'effet pernicieux de l'usage de la catégorie « jeunes immigrés » dans de nombreux écrits traitant de la jeunesse, des banlieues, des violences urbaines, de la « galère », pour désigner des jeunes dont beaucoup sont nés en France et sont, ou sont en passe de devenir Français.

Assimilation et crise de l'intégration sociale

**La société
française
contemporaine**
Cahiers français
n° 291

Immigration

42

Un examen minutieux des comportements et de leur évolution au fil des générations, d'après une enquête réalisée par l'INED, avec le concours de l'INSEE, en 1992 (1) n'entérine pas l'idée du caractère indépassable des spécificités et pratiques culturelles, et notamment celles associées à l'islam. Les mœurs ont évolué en profondeur.

(...)

Les transformations des mœurs et usages en France ne font pas de la question de l'assimilation des populations d'origine étrangère un enjeu de société de nature à remettre en cause le fonctionnement du creuset français au motif de la différence culturelle. L'observation n'entérine pas l'idée de populations musulmanes figées, incapables d'intégrer le principe de laïcité et d'adapter leurs comportements. Les jeunes d'origine étrangère, et surtout ceux d'origine algérienne, ne se font guère d'illusion sur une autre appartenance nationale. Est-ce à dire que tout fonctionne à merveille et qu'il n'y a pas de problème ; certainement pas. Mais la difficulté réelle ne semble pas provenir du caractère indépassable d'« attributs culturels », mais d'une difficulté de la société française à faire vivre ses principes et notamment celui d'égalité des citoyens.

(...)

Dans les difficultés d'intégration sociale des jeunes d'origine étrangère, on aurait tort de sous-estimer les facteurs objectifs concourant à l'amplification de l'impact de la crise. Les jeunes d'origine étrangère, qui sont en voie d'ascension sociale par rapport à une génération de parents peu ou pas scolarisés, ont des difficultés qui tiennent à leur origine sociale. Ils sont à environ 80% enfants d'ouvriers (contre environ 40% des jeunes Français de souche du même âge). La forte coïncidence entre la catégorie sociale et l'origine ethnique place ces populations, en bloc, dans une situation plus difficile. Pour les plus diplômés d'entre eux, les réseaux familiaux, amicaux ou ethniques sont inefficaces (2). En outre, cette coïncidence a des effets en termes d'image qui les placent plus volontiers, dans l'imaginaire collectif, dans le bas de l'échelle sociale. C'est encore plus vrai des jeunes d'origine algérienne dont les pères ont fait figure emblématique du travailleur immigré. L'impatience de ces jeunes à décoller de l'image du père, conjuguée à des représentations sociales défavorables concourent à aggraver leurs difficultés. Ils paient alors leur désir d'ascension sociale par un chômage très élevé : 40% des jeunes d'origine algérienne âgés de 20 à 29 ans étaient chômeurs en 1992, contre 14% des jeunes Français de souche du même âge. S'ajoute à cela un marquage géographique dévalorisant lié à leur localisation plus fréquente dans des quartiers dits difficiles. La relégation et les difficultés rencontrées par les familles en matière d'éducation produisent aussi des jeunes mal socialisés aux comportements aggravant un peu plus leur image (agressivité, violences urbaines ...). (*)

Michèle Tribalat

(*) Extraits, choisis par la Rédaction des Cahiers français, de l'article de Michèle Tribalat, « De la nécessité de reformuler la question de l'immigration en France », l'Année sociale édition 1998, sous la direction de René Mouriaux, Paris, Les Éditions de l'Atelier/Éditions ouvrières, coll. « Points d'appui », 1998, pp. 120-123. Le titre est de la Rédaction des C. F.
(1) Cette enquête portait sur près de 9 000 immigrés originaires d'Algérie, Espagne, Maroc, Portugal, Turquie, Sud-Est asiatique et Afrique noire, près de 2 000 jeunes nés en France âgés de 20-29 ans de parents nés en Algérie, Espagne, Portugal, et enfin sur près de 2 000 personnes représentatives de la population française dans son ensemble. Les résultats ont fait l'objet de plusieurs publications, dont deux ouvrages : Michèle Tribalat, Faire France, Paris, La Découverte, 1995 ; Michèle Tribalat, De l'immigration à l'assimilation, avec la participation de P. Simon et B. Riandey, Paris, INED/La Découverte, 1996.
(2) P. Simon, in De l'immigration à l'assimilation, op. cit.

recours à des catégories de type ethnique (faisant référence, en fait, au pays de naissance et à la nationalité des parents) dont la presse a abondamment rendu compte (5), ces débats ont montré une certaine élite arc-boutée sur des principes : l'égalité théorique entre tous les Français interdirait qu'on s'interroge sur l'inégalité de fait. Là aussi, les changements de registres, en passant insensiblement de la morale à la statistique, ajoutent à la confusion.

Une certaine cacophonie administrative

La situation actuelle se trouve aggravée par deux maux déjà anciens, parfois contradictoires, mais toujours vivaces : la répugnance de l'administration pour la transparence et les combats de territoires entre institutions se disputant le privilège de l'information. C'est pour remédier au désordre institutionnel et à une certaine cacophonie dans la production statistique que Michel Rocard avait créé, en 1989, le Haut Conseil à l'intégration, lui confiant, notamment, « *la responsa-bilité de l'ensemble des données statistiques relatives à la composition et aux variations des flux d'immigration, à la présence et à la situation juridique des étrangers sur le sol français. Le Haut Conseil est chargé de les tenir régulièrement à jour et elles seront reprises dans un rapport annuel* ». Certes, la mission était restrictive, à la mesure des pratiques du moment, puisque seuls les étrangers étaient visés. Mais le Haut Conseil à l'intégration n'en fut pas embarrassé et osa déborder ce cadre strict. Pour remplir sa mission, il se dota d'un groupe statistique composé des représentants des administrations produisant de l'information statistique sur le phénomène migratoire. Le rattachement du Haut Conseil au Premier ministre devait permettre d'asseoir son autorité par rapport aux organismes producteurs appartenant à divers ministères ; il y avait là matière à espérer la mise en musique d'une transparence sur un domaine où elle était à la fois rare et impérative.

(5) Cf., notamment, *Le Monde* et *Libération* du 6 novembre 1997.

Dès son premier mandat, malgré des avancées certaines, le Haut Conseil a buté sur les rivalités de territoire. Ainsi, bien que la Direction de la population et des migrations (DPM) soit représentée dans le groupe statistique, elle a poursuivi la publication d'un rapport portant sur le même sujet que celui du Haut Conseil, à quelques mois d'écart, n'aboutissant pas aux mêmes chiffres. Au printemps 1996, le Haut Conseil fut contourné pour la mise en œuvre d'un travail dont il avait eu l'initiative et se vit refuser la communication d'informations autrefois disponibles. Sa mise hors jeu aboutit finalement à la suspension des travaux du groupe statistique en avril 1996, sur décision de son président Anicet Le Pors. La connaissance statistique en a sérieusement pâti et la tentation de refaire chacun ses propres comptes l'a emporté. Les consignes élaborées dans le cadre du groupe statistique pour confectionner les statistiques sur les flux d'immigration à partir du fichier central du ministère de l'Intérieur ont été oubliées au profit d'arrangements permettant de faire tomber le nombre des entrées au-dessous de la barre symbolique des 100 000.

A l'heure actuelle, on dispose de trois chiffres sur l'immigration étrangère annuelle : celui de l'Office des migrations internationales (OMI), celui figurant dans le rapport de la DPM et celui du ministère de l'Intérieur dont la diffusion tarde à venir. Prenons l'exemple de l'année 1995 : les entrées auraient été de l'ordre de 50 000 d'après les statistiques OMI, de 77 000 d'après les estimations de la DPM, de 79 000 d'après le ministère de l'Intérieur. En fait, si l'on revient à la définition recommandée par l'INED et adoptée par le Haut Conseil à l'intégration (premiers titres délivrés pour une durée de séjour d'au moins un an) (6), le nombre d'entrées en 1995 serait de 116 000. Cacophonie grandiose qui ne semble pas déranger les médias rendant compte scrupuleusement de ces informations sans en relever les contradictions.

Quelques évolutions chiffrées

Flux migratoire et population d'origine étrangère

La France est mal outillée pour mesurer ses flux migratoires, et les recensements renseignent plus sûrement sur leur évolution que les sources administratives dont les discontinuités d'enregistrement invalident toute tentative visant à dessiner une évolution sur les moyen et long termes. L'évolution au fil des recensements de la population immigrée (personnes nées étrangères à l'étranger) retrace assez bien « l'accalmie migratoire » qui se dessine après la suspension du recrutement de travailleurs en 1974. En effet, jamais, depuis l'après-guerre, la croissance de la population immigrée n'a été aussi modérée (+ 0,4% à + 0,5% de 1975 à 1990, contre 2,3% de 1968 à 1975, signe évident d'une réduction des entrées). Mais, les étrangers venus travailler ont fondé un foyer et fait

venir leur famille, pour nombre d'entre eux, dès avant le raidissement de la politique migratoire. Certains sont devenus Français et les enfants nés en France de parents immigrés aussi, au plus tard à leur majorité. La forte fécondité des familles immigrées en provenance du Maghreb, d'Afrique noire ou de Turquie a eu un puissant effet multiplicateur. La tentation récurrente d'impulser une décrue à travers divers dispositifs d'aide au retour n'a eu que de faibles résultats. Ainsi, la population étrangère peut stagner, les flux migratoires être considérablement réduits et la population d'origine étrangère continuer d'augmenter. C'est ce qui s'est produit : d'après nos estimations, alors que la population immigrée a peu évolué, l'apport démographique global de l'immigration (7) a continué de s'accroître : il serait ainsi passé de 8,7 millions en 1975 à 10,2 millions en 1986 (8). La politique peut limiter le flux d'entrées (ce qu'elle a fait), mais elle ne peut comprimer, par définition, l'accroissement naturel lié à l'installation des familles. La prise de conscience de ces limites a été tardive et l'amalgame entretenu entre les flux migratoires eux-mêmes et leurs effets démographiques, sous la désignation vague du « problème de l'immigration » explique l'acharnement législatif sur les conditions d'entrée et de séjour des étrangers au risque, pour l'action publique, de paraître impuissante. Il y avait, en outre, une sérieuse contradiction entre cet acharnement et les arguments lénifiants visant à imposer l'image d'un phénomène contenu et mineur (« la proportion d'étrangers est la même qu'en 1930 ! »).

Pourquoi s'intéresser aux jeunes d'origine étrangère ?

Pour peu que l'on consente à rompre avec une rhétorique dogmatique, le recensement de population de 1990 permet, même en l'absence de données spécifiques relatives aux catégories de type ethnique, de donner une idée de l'importance des populations d'origine étrangère en utilisant les informations sur le pays de naissance et la nationalité des parents. Cela oblige à ne retenir que les âges où l'on a encore de grandes chances d'être enfant d'une famille. Nous l'avons fait pour la classe d'âges 0-25 ans au recensement de 1990, à partir du fichier au centième, avec, donc, un certain aléa (9).

La société française contemporaine
Cahiers français n° 290

Immigration

43

(6) Cf. *La connaissance de l'immigration et de l'intégration,* Rapport du Haut Conseil à l'intégration, Paris, La Documentation française, Paris, 1991.

(7) Il comprend un apport direct constitué d'immigrés venus s'installer en France et un apport indirect comprenant les naissances supplémentaires dues à l'immigration intervenue depuis la fin du siècle dernier. Cf. Michèle Tribalat (dir.), *Cent ans d'immigrations, Étrangers d'hier, Français d'aujourd'hui,* Paris, PUF/INED, 1991.

(8) L'essentiel de cet apport est constitué d'immigrés, enfants et petits-enfants d'immigrés.

(9) Dans la mesure où des regroupements par tranche ont été opérés, certaines communes peuvent, de ce fait, avoir été mal classées, mais il faut plutôt s'attacher à l'esprit de ce qui est dit qu'à la lettre. Une analyse plus fine, à partir du fichier au quart, par exemple, serait très utile.

En nous focalisant sur les 0-25 ans, nous nous intéressons exclusivement aux jeunes d'origine étrangère. Mais cette analyse nous paraît pertinente dans la mesure où ce sont eux qui vivent actuellement le plus durement l'exclusion et la relégation et sont impliqués et désignés dans les problèmes de violences urbaines. Les populations d'origine étrangère ne sont pas numériquement négligeables. Si l'on compte bien 6,4% d'étrangers au recensement de 1990, la part des jeunes âgés de 0-25 ans d'origine étrangère est de 17%. La concentration est plus élevée dans les villes moyennes ou grandes (27% dans les communes de plus de 30 000 habitants où près d'un jeune sur deux est alors d'origine maghrébine). Elle est extrême en Seine-Saint-Denis (45%). Un certain nombre des communes de 30 000 habitants ou plus connaissent des concentrations supérieures à 50% : c'est le cas, par exemple, de Saint-Denis, Aubervilliers, Bobigny, La Courneuve, Montreuil, Aulnay-sous-Bois, en Seine-Saint-Denis. C'est également le cas du XIXe arrondissement de Paris, de Sarcelles et de Garges-les-Gonnesse dans le Val d'Oise, de Trappes et Mantes-la-Jolie dans les Yvelines, de Vaulx-en-Velin et de Saint-Priest dans le Rhône, de Dreux en Eure et Loir, ... Dans certaines communes, un basculement ethnique par la base de la pyramide des âges s'accompagne d'une forte relégation des populations d'origine étrangère dans les quartiers socialement déshérités. Si ces jeunes sont, ou vont devenir, français avec, théoriquement, la même légitimité que les autres, celle-ci se trouve fortement remise en cause dans les pratiques. C'est particulièrement vrai pour les populations d'origine maghrébine. Rappelons qu'en 1992, 40% des jeunes Français d'origine algérienne étaient chômeurs, contre 11% seulement des jeunes d'origine française (10). Les Français d'origine maghrébine, notamment, n'ont *a priori* pas les mêmes chances que les autres Français, l'analphabétisme familial et les structures scolaires fréquentées les mettant d'emblée, en moyenne, dans une situation plus difficile. Si les résultats scolaires des jeunes adultes d'aujourd'hui ont été proches de ceux observés dans la classe ouvrière, il n'est pas sûr que la situation ne se soit pas dégradée pour les plus jeunes.

L'évolution récente des flux migratoires

Au cours des années 90, et dans l'attente des résultats du prochain recensement, la tendance des flux, telle qu'elle apparaît à travers les statistiques parcellaires diffusées par le ministère de l'Intérieur, est d'abord à la baisse de 1993 à 1995 (environ 140 000 premiers titres de séjours d'une durée de validité d'au moins un an ont été délivrés en 1993, 116 000 en 1995), puis à la hausse avant même que n'intervienne la régularisation (122 000 en 1996). L'accroissement est faible pour les étrangers en provenance de l'Espace économique européen jouissant de la libre circulation (+ 2,0%) et modéré pour les autres (+ 6,8%). En 1997, avec les premières régularisations, le flux annuel atteint 148 000.

La statistique sur les flux du ministère de l'Intérieur est nouvelle et a été possible grâce à l'installation d'une application informatique de gestion centralisée en 1993. La comparaison des chiffres ainsi obtenus à ceux auparavant confectionnés à partir des données de l'OMI et de l'Office français de protection des réfugiés et apatrides (OFPRA) – par exemple 94 000 en 1993, 64 000 en 1994, et environ 50 000 en 1995 et 1996 – montre un écart important au désavantage de ces derniers qui donnent une estimation plus faible des entrées d'étrangers en France. Compte tenu de cette discontinuité statistique, il est difficile d'avancer un chiffre sur le nombre probable d'immigrés aujourd'hui installés en France. Une croissance modérée est néanmoins prévisible.

Conclusion

Aux insuffisances de notre appareil statistique et à la frilosité d'administrations démunies méthodologiquement, mais néanmoins jalouses de leurs prérogatives, s'est ajouté, en France, l'embargo idéologique d'une extrême-droite et d'une « gauche folle » (11) aux aguets, pour entraver toute tentative visant à instaurer un débat serein, autour d'une information éclairée, sur le phénomène migratoire. L'évolution récente de l'extrême-droite laisse espérer quelque progrès des deux côtés (12) permettant de remiser les arguments prônant l'abstention en matière d'observation et nous condamnant à l'obscurantisme et à l'impuissance. Nous en aurions bien besoin. La situation sociale et les ambitions affichées en matière de lutte contre les discriminations l'exigent. Entreprendre une action publique en la matière suppose d'abord un diagnostic sur la situation telle qu'elle est et l'existence d'instruments de suivi nécessaire à son évaluation. Nous sommes, pour l'instant, loin du compte. La priorité accordée à cette question se mesurera d'abord aux efforts dépensés pour la connaître. S'agissant de la connaissance de l'immigration étrangère qui alimente bien des controverses, une information de qualité peut être tirée du fichier centralisé du ministère de l'Intérieur, pourvu qu'on y consacre quelques moyens et que l'on substitue à l'imagination administrative une méthodologie rigoureuse.

Michèle Tribalat, démographe

Michèle Tribalat,
démographe

(10) Enquête « Mobilité géographique et insertion sociale », cf. Michèle Tribalat, *Faire France*, Paris, La Découverte, 1995.
(11) Pierre-André Taguieff, « La place de l'expert en sciences sociales dans le débat public », Actes de la table ronde du 14 septembre 1998, INED, 1999.
(12) Comme l'explique Daniel Schneidermann dans « Penser l'après Le Pen », *Le Monde*, 29 janvier 1999.

Intégration et diversification des populations immigrées

Après la crise économique, en 1974, la France est passée d'une immigration de main-d'œuvre à une immigration de peuplement par le biais du regroupement familial (qui représente encore 60% des entrées d'étrangers en 1994). Ce retournement de tendance a entraîné une féminisation de la population étrangère qui tend à équilibrer la répartition des sexes (40% de femmes en 1990 contre 30% dix ans plus tôt).

L'évolution de la population active étrangère

La population active étrangère (qui représente 6% des actifs en France) était traditionnellement ouvrière et non qualifiée, elle subit donc de plein fouet le chômage. Mais ce premier phénomène ne doit pas masquer des changements professionnels qui sont ceux de l'ensemble de la société française : elle se féminise et se diversifie en direction des services. En 1975, 70% des actifs d'origine maghrébine étaient des ouvriers non qualifiés (essentiellement dans les secteurs de la métallurgie, du textile, du bâtiment, de l'automobile et de l'agriculture). En 1990, ils sont moins de 40%. Inversement, on observe le fort développement des professions intermédiaires : artisans, commerçants, employés, ouvriers qualifiés et même cadres et professions libérales. La structure professionnelle des étrangers se rapproche donc lentement de la structure de la population active française (Marie, 1994 ; Mucchielli, 1997).

La situation professionnelle des femmes évolue rapidement : en 1973, les Portugaises n'étaient que 30,7% à travailler, elles sont aujourd'hui plus du double (64,4%) ; le taux d'activité des femmes maghrébines a quadruplé en vingt ans, passant de 8,4 à 36,6% (schéma 1). Cela traduit des changements fondamentaux dans l'évolution des modèles de rôles masculins et féminins et dans les rapports familiaux ; les femmes étrangères adoptent de plus en plus les mœurs des femmes françaises (Lefranc et Thave, 1995).

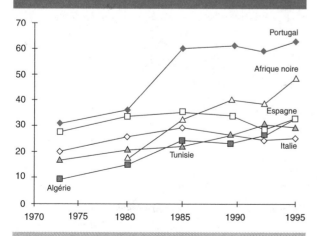

1. Les femmes étrangères sont de plus en plus nombreuses à travailler
(évolution du pourcentage de femmes en activités selon leur pays d'origine)

Source : INSEE, enquêtes sur l'emploi.

La réussite scolaire des enfants d'immigrés

A situations familiale et sociale identiques, les enfants d'immigrés obtiennent des résultats scolaires comparables à ceux des enfants de Français de souche. De même, la différence moyenne qui sépare les performances des enfants étrangers de celles des enfants français est moins importante que certaines différences qui existent entre les enfants français : entre les enfants d'ouvriers et ceux de cadres, entre les enfants de mère sans diplôme et ceux de mère bachelière, entre les enfants de famille nombreuse et ceux de famille à deux enfants. L'origine sociale et les diplômes des deux parents, la taille des familles et l'ancienneté de la présence en France (qui détermine la maîtrise de la langue) sont donc les véritables facteurs déterminants de la réussite scolaire des enfants étrangers (Vallet et Caille, 1996). (...)

Les conditions de logement

La concentration des immigrés dans.des logements précaires et dans les HLM a un effet de marginalisation et induit le racisme des populations françaises environnantes. Ici encore, les statistiques témoignent cependant d'une évolution rapide : entre 1975 et 1990, la part des immigrés vivant dans des logements précaires ou inconfortables (c'est-à-dire ne disposant ni de l'eau courante ni de l'électricité) est passée de 57 à 18% (et de 34 à 10% pour les Français). La plupart des immigrés d'origine espagnole, portugaise et maghrébine sont massivement passés de l'habitat précaire (meublés, garnis et autres logements de fortune) au HLM (Simon, 1996). L'accession à la propriété individuelle caractérise surtout les Portugais, les Espagnols et les Asiatiques du Sud-Est. Les populations maghrébines, noires africaines et turques demeurent encore principalement locataires en HLM.

Fécondité et mariage

A côté de la vie professionnelle, du logement et de l'intégration scolaire, la fécondité est un autre signe d'intégration sociale et culturelle. Globalement, les femmes étrangères avaient 3,2 enfants en 1981, elles n'en ont plus que 2,8 dix ans plus tard (Isnard, 1992). Cette évolution est d'autant plus significative que la proportion de femmes originaires de pays à forte fécondité (Afrique du Nord et Afrique noire) s'est élevée au détriment des femmes originaires de pays européens. C'est donc dans ces populations que la baisse a été la plus forte (tableau 2 ci-après). Dans le même temps, l'âge moyen à la maternité s'est également élevé et se trouve très proche de celui des Françaises (autour de 28 ans). L'enquête de M. Tribalat (1995) a montré que la polygamie ou le mariage entre consanguins sont tout à fait marginaux sauf pour les populations les plus récemment arrivées en France comme les Turcs (où un mariage sur trois se fait entre consanguins) et un petit nombre d'ethnies africaines (où l'on peut rencontrer jusqu'à 30% d'hommes polygames). Pour les populations d'immigration ancienne, unions libres et mariages mixtes sont nombreux : 60% des Espagnols, 34% des Portugais, 32% des Algériens, 31% des Africains noirs et 26% des Asiatiques du Sud-Est entrés célibataires en France vivent avec un conjoint français. De même, E. Todd (1994) a calculé que 20% des enfants de pères algériens ont une mère française et que plus d'un quart des naissances de mère algérienne sont de père français (ces chiffres étant tendanciellement en hausse). Contrairement à ce

La société française contemporaine
Cahiers français n° 290

Immigration

La société
française
contemporaine
Cahiers français
n° 291

Immigration

46

2. La baisse de la fécondité des femmes étrangères d'origine extra-européenne		
Nationalité	1981-1982	1989-1990
Algérie	4,3	3,2
Maroc	5,2	3,5
Tunisie	5,3	3,9
Afrique noire	5,1	4,8
Turquie	5,2	3,7
Asie du Sud-Est	3,1	3,1
Ensemble	3,2	2,8

Source : INSEE, recensements.

qui se passe dans de nombreux autres pays d'Europe et aux États-Unis, l'intégration des immigrés en France se traduit donc à terme dans de véritables mélanges entre populations.

Culture et religion

Du point de vue culturel, on constate également que l'intégration ne rencontre pas de difficultés majeures. Certes, les populations étrangères présentent souvent des différences importantes dans les pratiques religieuses, les codes de conduite, les rapports d'autorité dans la famille (en particulier le statut des femmes). Toutefois, ces différences ne sont ni aussi profondes ni aussi incompatibles avec l'acculturation que le voudrait le sens commun. Comme le rappellent F. Dubet et D. Lapeyronnie (1992), « l'acculturation signifie la capacité à maîtriser les codes culturels dominants et n'est pas forcément synonyme de dissolution de la culture d'origine ou de perte des particularités du milieu immigré absorbées et digérées par le pays d'accueil ». Les enquêtes réalisées par les auteurs montrent par exemple que les immigrés qui ont les relations les plus fortes avec les Français – signe d'une bonne intégration – sont aussi ceux qui entretiennent le plus de relations avec leurs compatriotes. Souvent, les enfants d'immigrés construisent en réalité des « identités intermédiaires qui leur permettent de gérer l'assimilation en évitant trop de déchirements ». Tandis qu'ils déclarent majoritairement connaître l'arabe et le parler principalement lorsqu'ils s'adressent à leurs parents, 55% des jeunes Beurs considèrent que le français est leur langue maternelle. Les mères maghrébines arrivées depuis peu poussent leurs enfants à apprendre le français et souvent l'apprennent avec eux. Au total, on mélange souvent les deux langues dans la famille. La plupart des musulmans pratiquent un islam individuel qu'ils revendiquent comme une morale personnelle ; la pratique des prières et la lecture des textes sont en baisse tendancielle, et de nombreuses règles de vie ne sont plus respectées (Cesari, 1997). Les diverses études menées en région parisienne et marseillaise indiquent que seules 10% environ des personnes originaires d'Afrique du Nord fréquentent régulièrement la mosquée et envoient leurs enfants dans des écoles coraniques, chiffre comparable à la pratique catholique. De même, une enquête menée auprès des jeunes Beurs (Jazouli, 1995) indique que 61% se déclarent inquiets ou hostiles face à l'intégrisme musulman et que 20% y sont indifférents, tandis que 9% l'approuvent et 5% y participent (3% sont sans opinion). Au total, pour la grande majorité de la population maghrébine, la religiosité se concentre massivement sur quelques rites comme le Ramadan ou les tabous alimentaires qui sont visibles du dehors.

Marginalisation dans les banlieues

Il existe donc un décalage important entre une intégration majoritaire et silencieuse et les problèmes très médiatisés que connaissent des banlieues difficiles où certains jeunes issus de l'immigration, cumulant les handicaps économiques et sociaux, se tournent vers la délinquance ou bien cherchent à compenser les situations d'anomie dans un renforcement de leur identité religieuse. Les études menées sur les cités en difficulté montrent en effet la proportion élevée de familles nombreuses et de familles monoparentales, la forte proportion d'enfants en échec scolaire, le taux de chômage plus élevé que la moyenne, la pauvreté plus importante, l'exiguïté et parfois l'insalubrité des logements, enfin la tendance au regroupement ethnique qui renforce encore l'étiquetage des lieux et des individus. L'ethnicité et/ou la religion fonctionnent alors souvent comme une rationalisation de l'échec et un refuge identitaire agressif face à la marginalisation économique, sociale et culturelle. (*)

Louis Dirn
(Michel Forsé, Henri Mendras, Louis Chauvel,
Michel Lallement, Laurent Mucchielli)

(*) Extraits, choisis par la Rédaction des Cahiers français de l'ouvrage de Louis Dirn (ouvrage collectif), La société française en tendances 1975-1995, Paris, PUF, coll. « Sociologie d'aujourd'hui », pp. 59-66. Les intertitres sont de la Rédaction de C. F.

Bibliographie

Cesari J., 1997, *Être musulman en France aujourd'hui*, Paris, Hachette.

Dubet F., Lapeyronnie D., 1992, *Les quartiers d'exil*, Paris, Seuil.

Isnard M., 1992, « La fécondité des étrangères se rapproche de celle des françaises », *INSEE-Première*, n°231.

Jazouli A., 1995, « Les jeunes Beurs dans la société française », in SOFRES, *L'état de l'opinion 1995*, Paris, Seuil.

Lefranc C., Thave S., 1995, « Les enfants d'immigrés. Émancipation familiale et professionnelle », *INSEE-Première*, n°368.

Marie C.-V., 1994, « L'immigration en France dans les années quatre-vingt-dix : nouvelle donne pour l'emploi et nouveaux enjeux de société », *Sociologie du travail*, n°2, pp. 143-163.

Mucchielli L., 1997, « L'évolution de la vie professionnelle des étrangers », in L. Dirn, « Chronique des tendances de la société française », *Revue de l'OFCE*,. n°60, pp. 92-105.

Noiriel G., 1988, *Le creuset français. Histoire de l'immigration. XIXe-XXe siècles*, Paris, Seuil.

Simon P., 1996, « Les immigrés et le logement : une singularité qui s'atténue », in *Données sociales*, Paris, INSEE.

Todd E., 1994, *Le destin des immigrés*, Paris, Seuil.

Tribalat M., 1995, *Faire France. Une enquête sur les immigrés et leurs enfants*, Paris, La Découverte.

Vallet L.-A., Caille J.-P., 1996, « Les élèves étrangers ou issus de l'immigration dans l'école et le collège français », ministère de l'Éducation, *Dossiers Éducation et formation*, n°67.

Loisirs et culture

Les pratiques culturelles constituent un domaine où les disparités entre les individus sont très importantes en dépit du faible coût d'accès à de nombreux produits culturels. C'est ce que montrent les enquêtes réalisées régulièrement par le ministère de la Culture pour connaître les pratiques et les consommations culturelles des Français.
Olivier Donnat présente ici les résultats de la dernière enquête avant d'analyser les principaux facteurs de différenciation parmi lesquels le niveau scolaire et l'origine sociale jouent un rôle important.

C. F.

L'allongement de l'espérance de vie, l'abaissement de l'âge de la retraite, la réduction du temps de travail et l'entrée de plus en plus tardive sur le marché du travail, sans parler du développement du chômage, font de la question des usages du temps libre un enjeu majeur de notre société. Les Français, à l'échelle d'une vie, disposent en moyenne de trois fois plus de temps libre qu'au début du siècle, et pourtant, le sentiment de « manquer de temps » n'a probablement jamais été autant partagé : près de quatre Français sur dix déclarent « manquer de temps pour faire tout ce dont ils ont envie » dans le cadre de leurs loisirs (1). Si ce sentiment est logiquement plus présent dans les milieux sociaux où les contraintes professionnelles sont fortes (les agriculteurs ou les artisans et commerçants notamment) et aux moments de la vie où les contraintes d'ordre familial s'accentuent (dans les années qui suivent la naissance des enfants par exemple), il exprime aussi la frustration de ceux qui disposent de moyens financiers et socioculturels suffisants pour profiter de l'offre toujours croissante de biens et services sur le marché des loisirs : ainsi augmente-t-il avec le niveau de diplôme et de revenus au point d'atteindre 60% chez les diplômés de l'enseignement supérieur et dans les tranches de revenu les plus élevées. En même temps, près d'un Français sur cinq (18%) avoue s'ennuyer parfois ou souvent pendant ses loisirs. Bon nombre d'entre eux sont des personnes âgées, non diplômées et isolées, mais on trouve aussi une proportion importante de jeunes : près d'un tiers des 15-19 ans est dans ce cas, ce qui traduit les difficultés

actuelles d'une partie de la jeunesse qui, mal insérée professionnellement et/ou peu dotée culturellement, ne peut répondre aux sollicitations du marché des loisirs.

Ce contraste entre une partie de la société française qui souffre de ne pas disposer de suffisamment de temps pour réaliser toutes ses « envies » et une autre qui ne sait que faire d'un temps dont elle ne peut profiter, faute de disposer des ressources financières ou socioculturelles nécessaires, définit le cadre général des réflexions sur les pratiques culturelles. Ces dernières en effet, qu'on le veuille ou non, sont souvent aujourd'hui en situation de concurrence avec d'autres usages du temps libre : visiter un musée ou un monument historique pendant un séjour touristique, lire un livre le soir avant de s'endormir, faire du théâtre ou de la musique après les heures de lycée ou de bureau… est toujours un choix qui, de manière consciente ou non, engage des arbitrages en termes d'emploi du temps ou de budget.

Pratiques et consommations culturelles

Le mouvement continu d'équipement des ménages en appareils audiovisuels depuis le début des années 60 a profondément transformé le monde des loisirs, en faisant du « chez soi » un lieu de distraction et d'épanouissement personnel. Au fil des mutations technologiques qui ont scandé les trente dernières années, les pratiques audiovisuelles domestiques ont absorbé une grande partie du temps libéré par la réduction du temps de travail et l'abaissement de l'âge des retraites, au point qu'aujourd'hui les Français consacrent à l'écoute de la télévision et à l'écoute de la radio, de disques ou de cassettes un temps supérieur à celui qu'ils passent au travail (43 heures par semaine en moyenne).

Les pratiques audiovisuelles domestiques

Équipements et produits culturels audiovisuels

Les Français disposent aujourd'hui d'un important dispositif audiovisuel : près d'un sur deux vit dans un foyer équipé de plusieurs téléviseurs, 72% des foyers possèdent un magnétoscope, 27% une console de jeux, et plus de 20% ont acquis ces dernières années un micro-ordinateur, la moitié d'entre eux disposant d'un lecteur de cédérom. Bref, les écrans occupent

(1) La plupart des données chiffrées citées dans l'article sont extraites de la dernière enquête sur les pratiques culturelles du Département des études et de la prospective du ministère de la Culture et de la Communication. Cf. Olivier Donnat, *Les pratiques culturelles des Français*, Enquête 1997, Paris, La Documentation française, 1998.

largement l'espace domestique, notamment dans les ménages où vivent des enfants ou des adolescents. Par ailleurs, il est devenu exceptionnel d'être dépourvu du matériel nécessaire à l'écoute de disques ou de cassettes : la chaîne hi-fi reste l'appareil le plus répandu (74% des Français en possèdent une), en dépit de la diffusion spectaculaire du lecteur de disques compact et du baladeur que respectivement 67% et 45% des Français possèdent. Seules les générations nées avant la guerre sont, pour une large part, restées à l'écart du « boom musical » (41% des 65 ans et plus ne possèdent dans leur foyer aucun équipement musical).

Cet important mouvement d'équipement s'est traduit par l'accumulation de nombreux produits culturels au sein des foyers : ainsi par exemple, les possesseurs de magnétoscope détiennent en moyenne 57 vidéocassettes, et les discothèques personnelles atteignent souvent une taille considérable, au moins dans les générations nées après la guerre : plus d'un quart des Français (plus de la moitié des cadres et professions intellectuelles supérieures) disposent de plus de 50 disques compacts, sans que les cassettes audio ou les disques vinyle n'aient disparu pour autant.

« Culture de l'écran » et écoute musicale

La télévision occupe une place centrale dans le quotidien des Français : près de huit sur dix la regardent tous les jours, pour une moyenne générale de plus de trois heures par jour (tableau 1). Le fait que la majorité des usages soit tournée vers la distraction – il suffit

1. Usages des médias et pratiques culturelles
(Proportion de Français de 15 ans et plus ayant pratiqué au cours des douze derniers mois les activités suivantes)

Regarder la télévision	91
dont tous les jours ou presque	77
Écouter la radio	87
dont tous les jours ou presque	69
Regarder des cassettes vidéo	66
dont au moins une fois par semaine	28
Écouter des disques ou cassettes	76
dont tous les jours ou presque	27
Lire un quotidien	73
dont tous les jours ou presque	36
Lire un livre	74
dont 25 et plus	14
Aller au cinéma	49
Aller dans une bibliothèque ou médiathèque	31
Aller au théâtre	16
Assister à un concert de musique classique	9
Assister à un concert de rock	9
Jouer d'un instrument de musique	13
Faire de la peinture, sculpture ou gravure	10

Source : Enquête *Les pratiques culturelles des Français*, ministère de la Culture et de la Communication, 1997.

pour s'en convaincre de lire jour après jour les résultats d'audience des différents programmes – ne doit pas masquer l'existence d'usages culturels de ce média, certes limités mais néanmoins significatifs. Des chaînes comme Arte ou la Cinquième par exemple touchent un public plus important que ne le laisse croire leur audience mesurée en instantané : si peu de téléspectateurs en effet les regardent tous les jours, un Français sur cinq déclare regarder les programmes d'Arte au moins une fois par semaine, 23% ceux de la Cinquième. Toutefois, plutôt que de s'attacher à la durée d'écoute de la télévision, on préférera retenir le temps passé devant les écrans – qu'il s'agisse de programmes diffusés en direct ou enregistrés ou de jeux vidéos – pour apprécier les rapports des Français à la « culture de l'écran ». En effet, les années récentes ont été marquées par la généralisation du magnétoscope, le succès des consoles de jeux auprès des plus jeunes et les débuts de la micro-informatique : plus d'un quart des Français (28%) ont un usage au moins hebdomadaire de leur magnétoscope et près d'un sur dix utilise un ordinateur au moins une fois par semaine dans le cadre de leurs loisirs.

Les Français sont par ailleurs beaucoup plus nombreux que par le passé à écouter fréquemment de la musique enregistrée : plus d'un quart écoutent des disques ou des cassettes tous les jours ou presque (59% au moins une fois par semaine), sans parler de ceux qui utilisent la radio ou la télévision comme fond musical. Les jeunes sont bien entendu les plus concernés, mais bon nombre d'adultes ayant vécu leur adolescence après le « boom musical » des années 70 continuent d'entretenir un rapport fréquent avec la musique. Écouter de la musique est désormais une activité banale pour les générations nées après la guerre, presque au même titre que l'écoute de télévision : depuis les années 80 où la radio a évolué vers un contenu plus musical avec la libéralisation de la bande FM et où est apparu le baladeur, elle n'est plus attachée ni à un espace ni à un temps particuliers, et est totalement intégrée au quotidien.

Les chansons et les variétés françaises arrivent nettement en tête des genres de musique les plus écoutés, devant les variétés internationales et la musique classique tandis que les musiques du monde devancent le rock et le jazz. Les autres genres musicaux sont moins cités à l'échelle de la population française, souvent parce qu'ils sont trop exclusivement « réservés » à une catégorie de population : le rap et le hard-rock aux adolescents, l'opérette ou les musiques folkloriques aux personnes âgées.

La lecture de livres

Très peu de Français vivent désormais dans un foyer sans livre, 63% en ont acheté au moins un au cours des douze derniers mois et près d'un tiers d'entre eux ont fréquenté une bibliothèque ou médiathèque. Toutefois, ni les progrès de la diffusion du livre ni l'élévation du niveau moyen des diplômes n'ont pu enrayer un certain déclin de la lecture d'ouvrages. La proportion des Français déclarant ne pas avoir lu de livres au cours des douze derniers mois est la même

La société française contemporaine
Cahiers français n° 291

Loisirs et culture

qu'au début des années 80 (2). Elle correspond à un quart de la population française de 15 ans et plus, et augmente sensiblement avec l'âge des individus : elle est, par exemple, deux fois plus importante chez les 55-64 ans que chez les 15-24 ans, ce qui – soulignons-le au passage – va à l'encontre des discours de déploration sur le thème « les jeunes ne lisent plus ». Si la lecture de livres est orientée à la baisse, ce n'est pas tellement parce que les jeunes générations ignoreraient plus que leurs aînées le monde du livre ou qu'une partie des Français aurait cessé d'en lire, mais parce que le fait de lire beaucoup de livres est moins fréquent qu'au début des années 70.

Trois facteurs au moins peuvent expliquer ce moindre intérêt pour la lecture de livres. Tout d'abord, la lecture subit en général, depuis longtemps déjà, la concurrence de nouvelles activités de loisirs (télévision, sport, musique, jeux vidéo, voyages…) et se trouve largement supplantée comme manière d'occuper les « temps morts » de la vie quotidienne par la télévision et, pour les plus jeunes, par la musique ou les jeux vidéo. Par ailleurs, du fait de l'allongement des études, de plus en plus de jeunes sont amenés à lire des livres dans le cadre scolaire ou universitaire et intègrent par conséquent plus difficilement cette activité dans le temps des loisirs qui est majoritairement vécu comme celui du plaisir et de la détente ; la même tendance se dessine chez les adultes : 15% des Français déclarent lire souvent, pendant leurs loisirs, des livres en rapport avec leur travail ou pouvant leur être utiles professionnellement (près de quatre diplômés de l'enseignement supérieur sur dix sont dans ce cas). Enfin, le livre s'est globalement banalisé en tant qu'objet, au fur et à mesure de sa diffusion, avec le succès des livres de poche et des ventes en grande distribution notamment, et joue un rôle moindre dans les stratégies identitaires et distinctives des jeunes, ce qui conduit probablement ces derniers, quand ils sont interrogés, à moins surestimer le nombre de livres qu'ils lisent, voire même à le sous-estimer en « oubliant » une partie de leurs lectures.

La lecture de livres par conséquent, en tant qu'activité librement choisie hors de toute contrainte scolaire ou professionnelle, rencontre des difficultés croissantes à s'inscrire dans le temps et l'espace des loisirs ; elle est plus fréquemment orientée vers des fins utiles. D'ailleurs, les données relatives aux genres de livres lus le confirment, puisque la majorité des lecteurs de livres ne lisent pas ou peu de fiction : un quart seulement des lecteurs de livres déclarent préférer lire des romans et 12% des romans policiers ou d'espionnage, les autres citant une grande diversité de genres, des livres d'histoire aux livres pratiques en passant par les bandes dessinées et les essais.

La fréquentation des équipements culturels

La fréquentation des équipements culturels conserve, en dépit des efforts considérables en matière d'aménagement culturel du territoire (3), un fort

caractère minoritaire : plus de huit Français sur dix ne sont jamais allés de leur vie à l'opéra, 72% n'ont jamais assisté à un concert de musique classique et 43% n'ont jamais vu une pièce de théâtre jouée par des professionnels. Si on considère la fréquentation de l'ensemble des équipements culturels (bibliothèques, cinémas, lieux de spectacle, lieux d'exposition et lieux de patrimoine) au cours des douze derniers mois, on constate que 24% des Français n'ont fréquenté aucun de ces équipements, 27% l'ont fait à titre exceptionnel en se rendant quelquefois au cinéma ou en visitant un monument historique à l'occasion d'un déplacement, 28% ont eu une fréquentation occasionnelle, 12% une fréquentation plus régulière si on écarte le spectacle vivant, qui demeure le domaine le plus élitaire, et enfin environ 10% ont une fréquentation à fois suffisamment assidue et diversifiée pour être qualifiée d'habituelle.

La fréquentation des équipements culturels demeure donc, dans la majorité des cas, occasionnelle : ainsi, les deux tiers des personnes ayant visité un musée au cours des douze derniers mois n'y sont allés qu'une ou deux fois, plus de la moitié de celles qui se sont rendues à l'opéra, à un concert de rock, à un concert de musique classique ou à un spectacle de danse n'y sont allées qu'une seule fois dans l'année. S'il est relativement courant, aujourd'hui, de visiter un musée ou un monument historique à l'occasion d'un déplacement touristique ou d'assister à un concert quand une vedette est à l'affiche, sans accorder pour autant une place prépondérante à la culture dans son mode de loisirs, il est, en revanche, rare, sinon exceptionnel, d'être un familier d'un équipement culturel – un usager assidu d'une bibliothèque, par exemple, ou un abonné dans un lieu de spectacle – sans avoir un niveau de participation au moins modéré dans les autres domaines culturels. C'est pourquoi le clivage majeur dans le domaine des sorties et visites culturelles ne passe pas à l'intérieur du public de chaque équipement culturel ou de chaque domaine artistique mais entre la minorité de Français, de l'ordre de 10%, qui cumule toutes les formes de participation à la vie culturelle, et tous les autres, pour lesquels la logique du cumul ne fonctionne pas ou peu. Une grande partie de la vie culturelle en effet repose sur cette minorité de familiers des équipements culturels : la variété de leurs sorties et leur rythme souvent élevé de fréquentation font qu'ils représentent par exemple plus de la moitié des entrées des salles de concert et des musées et environ 60% de celles des théâtres et des concerts classiques.

(2) Soulignons que ces personnes ne peuvent pas pour autant être considérées comme des non-lecteurs, puisque parmi elles, quatre sur dix lisent tous les jours un quotidien, soit exactement la même proportion que chez les forts lecteurs de livres.
(3) Cf. *Atlas des activités culturelles*, Département des études et de la prospective, ministère de la Culture et de la Communication, Paris, La Documentation française, 1998.

La pratique en amateur d'activités artistiques

Près de quatre Français sur dix pratiquent en amateur une activité artistique : 13% ont joué d'un instrument de musique ou fait du chant au cours des douze derniers mois, et 32% ont pratiqué en amateur une ou plusieurs activités non-musicales. La pratique en amateur a connu une forte progression ces dernières décennies chez les enfants et les adolescents qui sont aujourd'hui, par exemple, deux fois plus nombreux que leurs parents et quatre fois plus que leurs grands-parents à faire de la danse ou à écrire un journal intime, mais les abandons sont fréquents au moment de l'installation dans la vie familiale et/ou professionnelle. Dans le cas du chant, de la danse, de l'écriture et surtout de la peinture, un certain nombre d'adultes ayant dépassé la cinquantaine ou atteint l'âge de la retraite ont ces dernières années, à un moment de la vie marqué par l'allégement des contraintes de la vie familiale et/ou professionnelle, découvert les charmes de la pratique en amateur ou renoué avec des activités qu'ils avaient eu l'occasion de pratiquer plus jeunes : un quart des Français qui chantent dans une chorale, par exemple, ont commencé la musique après quarante-cinq ans.

Ces « amateurs », quelle que soit l'activité qu'ils pratiquent, ont tendance à fréquenter les équipements culturels davantage que la moyenne des Français : plus de la moitié de ceux qui font du théâtre ou de la musique a eu, au cours des douze derniers mois, une fréquentation régulière ou habituelle des équipements culturels, contre 22% pour l'ensemble des Français. Toutefois, l'intérêt qu'ils manifestent pour la production artistique des professionnels du domaine dans lequel ils exercent leur talent d'amateur n'est pas aussi forte qu'on pourrait le penser : la moitié de ceux qui ont fait du théâtre amateur n'a vu aucune pièce jouée par des professionnels au cours des douze derniers mois, de même que près de la moitié des peintres amateurs n'a visité aucun musée, et seulement un danseur amateur sur cinq a assisté à un spectacle de danse classique, moderne ou contemporaine. Pratiquer soi-même en amateur une activité artistique et s'intéresser à la production des professionnels du secteur apparaissent donc en général comme deux démarches assez largement autonomes, qui ne sont vécues comme complémentaires que par une minorité d'amateurs.

Les principaux facteurs de différenciation

Les résultats des enquêtes sur les pratiques et consommations culturelles font apparaître de fortes disparités entre les milieux sociaux, les niveaux d'urbanisation et les catégories d'âge, disparités devant lesquelles le sociologue est souvent embarrassé, ne sachant pas s'il doit les interpréter comme des inégalités – les écarts étant considérés alors comme la conséquence de handicaps sociaux ou économiques

extérieurs au monde culturel – ou comme des différences, c'est-à-dire comme l'expression d'univers culturels particuliers. Cette question a souvent été posée à propos des milieux populaires et demeure légitime, puisque la majorité des catégories de population faiblement diplômées continue à accorder une place limitée à l'art et à la culture dans ses loisirs ; elle a toutefois une portée plus générale : que conclure en effet, lorsque l'on constate que les célibataires, à âge et à diplôme égaux, ont un investissement dans la culture supérieur à celui de leurs homologues mariés ? Doit-on penser qu'ils « profitent » de la plus grande disponibilité que leur offre leur statut pour s'intéresser à la culture ou au contraire qu'ils ont « choisi » ce statut en connaissance de cause pour mieux résister aux effets souvent négatifs de l'avancée en âge sur l'intensité des pratiques culturelles ?

De fortes disparités entre groupes sociaux

La hiérarchie des taux de pratique selon la catégorie socioprofessionnelle, quelles que soient les formes de participation à la vie culturelle retenues, est toujours la même (tableau 2) : qu'il s'agisse de fréquentation des équipements culturels, de lecture de livres, d'usages culturels de l'audiovisuel ou de pratiques amateur, les cadres et professions intellectuelles supérieures arrivent en tête, devant les professions intermédiaires, puis les employés et les artisans, commerçants et chefs d'entreprise, dont les résultats sont souvent très proches, et enfin les ouvriers et les agriculteurs dont les taux de pratique sont également toujours proches. Même dans le cas d'activités plus largement répandues comme la fréquentation des salles de cinéma ou réputées moins élitistes comme celle des concerts de rock, les cadres arrivent en tête, avec une hiérarchie des taux de pratique inchangée. L'arrivée ces dernières années du micro-ordinateur dans l'espace domestique n'a pas modifié cet état de fait : ainsi, la possession de cédéroms éducatifs ou culturels est-elle près de six fois plus fréquente dans les milieux de cadres que chez les ouvriers.

L'ampleur des écarts observés entre les catégories socioprofessionnelles renvoie au jeu complexe des multiples facteurs qui « se cachent » derrière cette variable composite : différences d'origine sociale, de lieu d'habitat, de revenu et surtout de niveau de diplôme qui – toutes les enquêtes le confirment – constitue, avec l'âge, la variable la plus discriminante dans le domaine culturel. L'origine sociale, mesurée à travers la profession ou le diplôme des parents, vient bien entendu amplifier ou au contraire contrarier ces effets liés au niveau de diplôme : ainsi par exemple, les fils d'agriculteurs ou d'ouvriers ayant accédé à l'enseignement supérieur ont un rapport à la culture plus proche de leur nouveau statut que de leur milieu d'origine, sans atteindre toutefois en moyenne le niveau des diplômés ayant une origine sociale plus favorable. D'ailleurs, c'est la force des effets liés à l'origine sociale qui permet de comprendre que

La société française contemporaine
Cahiers français
n° 291

Loisirs
et culture

2. Pratiques culturelles, milieu social et âge

	Sur 100 personnes de chaque groupe	Au cours des 12 derniers mois....					
		Sont allées au théâtre	Ont visité un musée	Ont joué d'un instrument de musique	Ont lu 25 livres et plus	Ont regardé Arte au moins une fois par semaine	Sont allées au cinéma
(PCS chef de ménage)	Cadres et professions intellectuelles supérieures	44	65	27	29	30	82
	Professions intermédiaires	21	43	17	20	23	72
	Employés	16	34	16	16	15	61
	Artisans, commerçants et chefs d'entreprise	11	33	13	9	16	59
	Ouvriers	6	22	12	6	15	44
	Agriculteurs	5	20	7	10	16	32
Âge	15-24 ans	24	40	34	13	16	83
	25-39 ans	15	36	14	14	20	58
	40-59 ans	17	33	8	15	22	45
	60 ans et plus	10	24	4	12	23	21

Source : Enquête *Pratiques culturelles des Français*, ministère de la Culture et de la Communication, 1997.

l'abaissement des barrières d'accès au baccalauréat et à l'enseignement supérieur n'a pas entraîné ces dernières années de diffusion spectaculaire des pratiques culturelles « traditionnelles » (théâtre, concert de musique classique, musée d'art...) ou liées à la création contemporaine.

Effets d'âge, de cycle de vie et d'appartenance générationnelle

De nombreuses pratiques culturelles concernent prioritairement les jeunes : les taux de pratique relatifs à l'écoute fréquente de musique, la pratique en amateur d'activités artistiques ou de nombreuses sorties, à commencer par le cinéma et les concerts de rock, culminent chez les 15-24 ans, sans qu'il soit toujours facile de savoir si le niveau de pratique plus faible des adultes est un effet des événements qui marquent l'avancée en âge (installation en couple, naissance d'enfants...) ou de l'appartenance générationnelle.

Souvent, quand apparaissent de nouvelles activités ou que s'expriment de nouvelles préférences chez les jeunes – lors des débuts du rock dans les années 60 par exemple ou plus récemment avec le succès des jeux vidéo ou de la techno – les observateurs estiment qu'il s'agit de phénomènes propres à la « culture jeune », comme s'ils devaient rester sans conséquence sur le comportement ultérieur des générations considérées, une fois franchi le passage à l'âge adulte. Les résultats d'enquête indiquent qu'il n'en ait rien : la plupart des mutations qui ont concerné les jeunes ces trente dernières années sont plutôt des phénomènes générationnels, dont les effets restent perceptibles bien après la fin de leur jeunesse. Ainsi par exemple du « boom musical » : non seulement la musique demeure le domaine privilégié à travers lequel s'exprime l'identité « jeune » au moment de l'adolescence, mais les Français ont de plus en plus tendance à rester fidèles aux titres et aux musiques qui ont marqué ce moment de leur vie : les adultes par exemple qui continuent à écouter du rock restent plutôt attachés aux succès datant de la période où ils étaient adolescents, de même que ceux qui écoutent des chansons ou des variétés françaises continuent à privilégier les titres qu'ils écoutaient dix, vingt ou trente ans plus tôt.

Le même raisonnement vaut, à l'inverse, pour le recul de la lecture de livres : les jeunes des années 80 par exemple, qui lisaient moins que leurs aînés au même âge, n'ont pas retrouvé en vieillissant leur niveau de lecture. Tout laisse penser, par conséquent, que la plupart des évolutions constatées chez les jeunes ces dernières années – du succès de la micro-informatique à celui de la pratique en amateur en passant par le recul de la lecture de livres – devraient progressivement se diffuser dans la société française, à mesure que les générations les plus anciennes, qui souvent ont été peu concernées, vont disparaître.

Hommes
et femmes

Si l'âge est, avec le niveau de diplôme, la variable qui traduit le mieux la diversité des rapports à l'art et à la culture, nombreux sont les autres facteurs qui jouent un rôle, à commencer par le fait d'être un homme ou une femme.

Les femmes témoignent dans de nombreux cas d'un engagement dans les pratiques culturelles supérieur à celui des hommes. C'est le cas, par exemple, pour la fréquentation des bibliothèques et des spectacles de danse ou pour la pratique des activités artistiques : tenir un journal intime, jouer du piano ou faire de la danse sont des activités très majoritairement féminines, faire du théâtre ou du chant aussi, à un degré moindre. Mais, c'est peut-être dans le domaine du livre que la domination des femmes est la plus significative : à l'inverse de ce qui se passait encore au début des années 80, les femmes devancent aujourd'hui les hommes sur toutes les activités en rapport avec le livre, qu'il s'agisse d'achat, d'inscription en bibliothèque, de discussions sur les livres ou de quantité de livres lus ; d'ailleurs, les hommes reconnaissent eux-mêmes cet état de fait puisqu'ils sont dans l'ensemble plus nombreux (60% contre 43% pour les femmes) à considérer qu'ils lisent peu ou pas du tout de livres. C'est surtout pour la fiction que l'écart est spectaculaire : les femmes sont près de trois fois plus nombreuses que les hommes à lire des romans autres que policiers (36% contre 14%) et sont même désormais plus nombreuses à préférer les romans policiers (10% contre 9%), genre jusqu'alors résolument masculin. Les hommes, quand ils sont lecteurs, préfèrent les livres d'histoire, les bandes dessinées et les livres scientifiques et techniques.

Les hommes ont des taux de pratique supérieurs dans certains domaines artistiques, tels le jazz ou le rock, et surtout dans les domaines où la dimension technique est présente. C'est le cas par exemple de la pratique de la photographie, de la vidéo et bien entendu de la micro-informatique : ils sont par exemple trois fois plus nombreux que les femmes à utiliser tous les jours ou presque un micro dans le cadre de leurs loisirs, à la fois parce qu'ils sont plus souvent équipés que les femmes lorsqu'ils vivent seuls, et qu'ils sont presque toujours utilisateurs quand ils vivent au sein d'un ménage équipé, alors que plus d'un tiers des femmes dans ce cas n'utilise jamais l'ordinateur du foyer.

Olivier Donnat

La société française contemporaine
Cahiers français
n° 291

Loisirs
et culture

52

Mobilité sociale

La mobilité sociale désigne un changement de position sociale pour un individu ou un groupe d'individus. Sa mesure, et donc son analyse, reposent sur la connaissance des groupes sociaux et de leurs évolutions au cours des ans. Les nombreuses études de la mobilité sociale en France mettent en évidence une diminution du nombre de personnes « immobiles », c'est-à-dire qu'un nombre croissant de personnes ne sont pas classées dans la même catégorie que leur père. Ce constat ne suffit pas cependant à diagnostiquer une réduction des inégalités dans les destins sociaux car les évolutions structurelles de la société (diminution du nombre d'agriculteurs, augmentation du nombre de cadres supérieurs par exemple) pourraient expliquer à elles seules une certaine mobilité. Des travaux récents, présentés ici par Dominique Merllié, montrent néanmoins une certaine progression de la fluidité sociale depuis quelques décennies. Mais n'est-ce pas plutôt la réduction de la distance sociale entre les différents groupes qui explique ce résultat ?

C. F.

« Le progrès technique et la division du travail, la croissance des villes et l'industrialisation ont provoqué une intense mobilité dans les sociétés occidentales modernes », écrivait Alain Girard dans un article sur « la mobilité sociale en France », paru dans un ancien numéro des *Cahiers français* (Girard, 1957). Qu'en est-il après plus de quarante ans d'autres changements sociaux importants ?

Toutes les sociétés comportent des groupes sociaux différenciés et inégalement valorisés. L'étude de la « stratification sociale » porte sur les différenciations et hiérarchisations de ces groupes et débouche sur le constat d'inégalités sociales plus ou moins marquées. Comment les individus sont-ils affectés à ces groupes sociaux ? Le sont-ils de manière stable et définitive, selon des mécanismes rigides qui leur échappent, ou peuvent-ils en changer et ont-ils des moyens d'agir en

ce sens ? Telle est la question qui préside à l'étude de la « mobilité sociale ». Dans une société qui valorise la démocratie et la liberté individuelle, elle conduit à dissocier la question de l'inégalité des conditions et celle de l'inégalité des chances (d'accès à ces conditions), la première pouvant paraître plus admissible si les individus se voient offrir les moyens de changer de condition ou d'entrer dans une compétition équitable pour l'accès aux différentes conditions.

Les enquêtes sur la mobilité sociale, qui visent à déterminer l'importance et la forme de la relation entre les origines sociales et les destinées sociales (d'où viennent les individus des différents groupes ? Où vont ceux qui en sont issus ?), peuvent donc apparaître comme des moyens de mesurer l'ouverture de la société et des différents groupes qui la composent. Une faible mobilité sociale caractériserait une société rigide, peu favorable au libre épanouissement de l'individu; une mobilité importante, traduisant une faible détermination des destinées par les origines, impliquerait une société ouverte, capable de récompenser les efforts ou les qualités des individus, selon un modèle qu'on qualifie parfois de « méritocratique ».

A cette aune, deux siècles après la Révolution qui a aboli les privilèges de droit (les ordres et les corporations de la société d'ancien régime) et placé la liberté, l'égalité et la fraternité aux frontons de la République, un siècle après l'instauration de l'obligation et de la gratuité scolaires, la société française a-t-elle effectivement évolué dans ce sens ? La mobilité sociale a-t-elle changé de forme et d'importance ? Les enquêtes réalisées depuis la fin de la Seconde Guerre mondiale (et depuis 1953 par l'INSEE) pour en prendre la mesure (Merllié, 1994) doivent permettre de répondre à ces questions. Elles font apparaître une diminution sensible de la proportion des individus que leur profession classe dans le même groupe socioprofessionnel que leur père (Vallet, 1999). Mais quelle signification sociologique faut-il donner à ce constat ?

Un principe de proximité dans une structure sociale en évolution

Si l'on s'intéresse d'abord à la forme des échanges entre les groupes sociaux que manifestent les tableaux de mobilité entre les générations, on constate une relative régularité. Dans des proportions variables, les groupes sociaux tendent à se recruter de manière préférentielle à partir d'eux-mêmes (1) et les destins sociaux à se caractériser par la proximité ou par des variations plus souvent de faible amplitude : ce qu'on peut caractériser comme « un principe de proximité sociale » (Merllié, Prévot, 1997).

(1) Même quand ce n'est pas de manière majoritaire, c'est toujours dans une proportion plus importante que ne le ferait une répartition aléatoire.

La société française contemporaine
Cahiers français n° 291

Mobilité sociale

Destinées et origines sociales selon les groupes sociaux

Qu'en est-il pour les hommes des principaux groupes socioprofessionnels (*idem*, chap. 3) ? Les agriculteurs se recrutent presque exclusivement parmi les enfants d'agriculteur (tableau 1) ; mais ce n'est qu'une minorité de ceux-ci qui sont agriculteurs : leur destin social les conduit plus souvent dans d'autres métiers et surtout dans les emplois ouvriers. Ce groupe illustre ainsi plusieurs traits récurrents des tableaux de mobilité sociale : l'impression de stabilité ou de mobilité peut varier fortement selon qu'on s'interroge sur les recrutements ou sur les destinées (c'est-à-dire selon le sens des pourcentages utilisés) ; la stabilité est assez importante et les flux de mobilité n'associent pas n'importe quels groupes, mais plutôt des groupes socialement voisins, comme ici agriculteurs et ouvriers. Les ouvriers se recrutent rarement à partir de groupes socialement supérieurs, surtout à partir d'eux-mêmes ou des agriculteurs et le destin de leurs enfants, lorsqu'il les fait changer de groupe, ne les conduit pas souvent dans des positions sociales très éloignées (et plutôt chez les employés ou les professions intermédiaires).

Les employés (beaucoup moins nombreux chez les hommes que chez les femmes, et souvent dans des métiers différents de celles-ci) apparaissent comme le groupe socioprofessionnel le moins stable ou le plus « ouvert », avec un recrutement assez diversifié comme les destinées correspondantes. Leur position « moyenne » et ambiguë dans la structure sociale les ouvre à la fois aux flux ascendants et descendants de mobilité sociale (Chenu, 1994).

Les indépendants autres que les agriculteurs (artisans, commerçants et chefs d'entreprise) manifestent une moindre stabilité du statut social que les agriculteurs puisque leur statut d'indépendant est moins massivement « hérité ». L'hétérogénéité sociale de ce groupe se marque dans des destinées qui conduisent leurs enfants aussi bien chez les ouvriers que chez les cadres.

Les membres des « professions intermédiaires » font apparaître une structure assez intermédiaire, justement, entre celles qui correspondent aux employés et aux cadres. Ceux-ci, en haut de l'échelle sociale de ces groupes et comme au bout de la chaîne que tendent à dessiner entre eux les flux de mobilité sociale, offrent un profil assez inverse de celui des agriculteurs : beaucoup de leurs enfants restent dans le même

1. Destinées et origines des hommes de 40 à 59 ans en 1993
Champ : hommes français de naissance, de 40 à 59 ans, actifs ou anciens actifs

Groupe socio-professionnel du père	Groupe socioprofessionnel de l'enquêté						Ensemble
	3	4	2	5	6	1	
3. Cadre % →	53,4	20,7	10,6	8,2	6,5	(0,5)	100
% ↓	23,3	7,5	7,7	7,3	1,8	(0,9)	8,4
4. Profession intermédiaire	35,8	29,7	9,0	9,8	14,9	(0,8)	100
	19,9	13,7	8,3	11,1	5,1	(1,6)	10,7
2. Artisan, commerçant, chef d'entreprise	21,6	20,2	30,5	6,7	19,3	1,7	100
	15,4	11,9	35,9	9,7	8,5	4,6	13,7
5. Employé	21,8	32,8	7,3	11,1	26,8	(0,2)	100
	12,5	15,6	7,0	13,1	9,5	(0,4)	11,1
6. Ouvrier	9,6	24,4	8,9	10,8	45,5	0,8	100
	19,2	40,5	29,7	43,9	56,3	6,2	38,7
1. Agriculteur	10,7	14,5	7,6	8,1	33,8	25,3	100
	9,7	10,9	11,4	14,9	18,8	86,3	17,4
Ensemble	19,3	23,3	11,6	9,5	31,3	5,1	100
	100	100	100	100	100	100	100

Lecture : les pourcentages supérieurs, en ligne, correspondent aux destinées (53% des fils de cadre sont cadres), les pourcentages inférieurs, en colonne, aux origines (23% des cadres sont fils de cadre). Les pourcentages entre ( ) correspondent à des effectifs très faibles dans l'échantillon.

Source : INSEE, enquête FQP 1993, Dominique Merllié, Jean Prévot, *La mobilité sociale*, Paris, La Découverte, coll. «Repères», 1997, p. 57.

groupe, qui, parce qu'il est en expansion, recrute assez largement à l'extérieur, mais surtout dans les groupes les plus proches (et d'abord celui, adjacent, des « professions intermédiaires »).

L'importance des transformations socioprofessionnelles

Ce croquis trop sommaire serait à préciser en considérant des catégories plus spécifiques et plus homogènes (2). Il suffit cependant pour remarquer que la structure des échanges qu'il manifeste entre les générations n'est pas fondamentalement différente de celle qu'on observait dans des enquêtes plus anciennes, ni d'ailleurs de celle qu'on peut constater dans les changements éventuels de profession en cours de carrière ou encore dans les milieux sociaux que rapprochent la formation des couples (Girard, 1964 ; Bozon, 1991) ou les amitiés (Pan Ké Shon, 1998). Ce qui est le plus spécifique aux flux de mobilité sociale entre les générations masculines et à leurs évolutions est d'être polarisés par les changements rapides de la structure socioprofessionnelle : de moins en moins d'agriculteurs, une proportion croissante, jusque vers 1975, puis déclinante, d'ouvriers, de plus en plus d'emplois de salariés non manuels. Ces changements se traduisent en effet par des différences entre la structure des origines et celle des destinées qui orientent nécessairement certains au moins des flux de mobilité.

La mobilité féminine

Ce qui vient d'être dit des hommes s'applique-t-il aux femmes (Vallet, 1992 ; Merllié, Prévot, 1997) ? Très largement si on étudie, selon une pratique traditionnelle, le passage des femmes mariées ou vivant en couple du milieu où les classait leur père à celui où les classe leur conjoint (Girard, 1964) : on peut dire que « les hommes ressemblent un peu moins à leur beau-père qu'à leur père » (Gollac, Laulhé, 1987). Largement encore, si on étudie la relation entre la profession des femmes actives et celle de leur père (tableau 2), mais avec la nécessité de tenir compte non

La société française contemporaine
Cahiers français n° 291

Mobilité sociale

55

(2) Si les enquêtes « FQP » (Formation qualification professionnelle) restent la source majeure pour étudier la mobilité sociale entre les générations en France, on commence à disposer, avec l'« EDP » (Échantillon démographique permanent), d'un nouvel outil qui, constituant progressivement des données longitudinales alimentées par les recensements, permet cette étude sur un échantillon important au moins (pour le moment) pour les générations les plus jeunes. On a pu étudier ainsi les conditions sociales qui favorisent l'accès rapide aux positions sociales supérieures (cf. Galland, Rouault, 1998).

2. Destinées et origines des femmes de 40 à 50 ans en 1993

Champ : femmes françaises de naissance, de 40 à 59 ans, actives ou anciennes actives

Groupe socio-professionnel du père	Groupe socioprofessionnel de l'enquêtée						Ensemble
	3	4	2	5	6	1	
3. Cadre % →	34,3	32,3	3,5	25,5	4,4	–	100
% ↓	32,0	13,1	4,7	5,0	2,2	–	8,3
4. Profession intermédiaire →	15,0	32,7	5,0	39,7	6,3	1,3	100
↓	17,5	16,6	8,3	9,7	3,8	2,8	10,4
2. Artisan, commerçant, chef d'entreprise →	11,4	23,7	10,9	40,8	10,7	2,5	100
↓	17,2	15,5	23,4	12,8	8,4	6,9	13,4
5. Employé →	10,1	25,0	3,4	49,5	11,2	(0,7)	100
↓	12,6	13,6	6,0	12,9	7,3	(1,6)	11,1
6. Ouvrier →	3,4	15,5	5,9	46,7	27,1	1,4	100
↓	15,1	29,7	36,6	43,0	62,8	11,0	39,2
1. Agriculteur →	2,8	13,4	7,4	40,2	14,8	21,4	100
↓	5,6	11,5	21,0	16,6	15,4	77,6	17,6
Ensemble →	8,9	20,5	6,3	42,6	16,9	4,9	100
↓	100	100	100	100	100	100	

Lecture : premier pourcentage en ligne pour les destinées (27% des filles d'ouvrier sont ouvrières), deuxième pourcentage en colonne pour les origines (63% des ouvrières sont filles d'ouvrier).

Source : INSEE, enquête FQP 1993, in Merllié, Prévot, 1997, op. cit., p. 86

seulement des changements qui affectent les générations mais aussi des fortes différences entre la structure socioprofessionnelle des femmes et celle des hommes (3), qui impliquent des taux d'« immobilité » moins élevés et font apparaître plus de mobilité « descendante » que pour les hommes, sans que le lien statistique entre origines et destinées soit nécessairement moindre. Lorsque la mère était active, enfin, la profession de celle-ci paraît plus déterminante pour celle des femmes que des hommes (Vallet, 1992).

La mobilité sociale évolue-t-elle ?

Si les formes que tendent à prendre les échanges entre les groupes sociaux restent, compte tenu des évolutions sociales d'ensemble, relativement stables, qu'en est-il de leur intensité ? Les enquêtes successives montrent une augmentation de la proportion des individus qui ne sont pas classés dans la même catégorie que leur père. Du travail de comparaison systématique réalisé récemment par Louis-André Vallet, il ressort que, avec des catégories définies de manière aussi stable que possible en différenciant huit groupes (4), la proportion des « immobiles » parmi les hommes actifs occupés de 35 à 59 ans (5) passe de 50,7% en 1953 à 35,1% quarante ans plus tard, en 1993 (tableau 3). La même

(3) Les femmes sont beaucoup plus souvent employées, beaucoup moins souvent ouvrières et cadres que les hommes.
(4) Le système des catégories socioprofessionnelles ayant été sensiblement modifié en 1982, les besoins de la comparaison imposent des adaptations. Les indépendants non agricoles sont séparés en deux groupes en fonction de la taille de l'entreprise (les membres des « professions libérales » étant regroupés avec les gros indépendants). Dans les enquêtes chiffrées dans l'ancien code des catégories socioprofessionnelles les groupes 7 et 8 sont regroupés avec les employés. Dans celles qui sont chiffrées dans la nomenclature de 1982, les contremaîtres sont regroupés avec les ouvriers et les ouvriers agricoles séparés des autres ouvriers.
(5) 30 à 59 ans pour 1953.

La société
française
contemporaine
Cahiers français
n° 291

Mobilité
sociale

56

3. Destinées sociales des hommes selon leur origine en 1953 et 1993
Champ : 1953, hommes actifs âgés de 30 à 59 ans ; 1993, hommes français actifs occupés âgés de 35 à 59 ans

Groupe socioprofessionnel du père		Groupe socioprofessionnel de l'enquêté								Ensemble	
		1	2	3	4	5	6	7	8	100	% ↓
1. Agriculteur exploitant	1953	**58**	6	8	1	1	3	5	18	100	32
	1993	**27**	2	7	1	10	10	8	35	100	16
2. Salarié agricole	1953	12	**29**	11	-	-	-	7	41	100	9
	1993	3	**5**	10	2	4	14	11	51	100	3
3. Artisan, petit commerçant	1953	3	1	**47**	4	3	6	10	26	100	16
	1993	2	-	**27**	6	17	17	7	24	100	11
4. Industriel, gros commerçant, profession libérale	1953	2	1	12	**45**	13	6	7	14	100	2
	1993	-	-	9	**23**	35	18	8	7	100	4
5. Cadre supérieur	1953	3	-	13	8	**43**	19	13	1	100	2
	1993	-	-	8	13	**41**	21	8	9	100	7
6. Cadre moyen	1953	-	-	11	8	13	**25**	24	19	100	2
	1993	1	-	6	8	31	**31**	9	14	100	8
7. Employé, personnel de service, autres actifs	1953	6	-	9	3	11	15	**21**	35	100	7
	1993	-	-	7	3	19	26	**14**	31	100	12
8. Ouvrier, contremaître	1953	3	2	11	-	2	8	12	**62**	100	30
	1993	-	-	8	1	11	18	11	**51**	100	39
Ensemble % →	1953	22	6	15	3	3	6	10	35	**100**	**100**
	1993	5	1	10	4	16	19	10	35	**100**	**100**

Lecture : pourcentages en ligne : en 1953, 58% des fils d'agriculteur étaient agriculteurs et 18% ouvriers ; en 1993, 27% des fils d'agriculteur sont agriculteurs et 35% ouvriers.

Source : INSEE, enquête sur l'emploi de 1953 et enquête FQP de 1993, in Louis-André Vallet, *Revue française de sociologie*, XL, n°1, janvier-mars 1999, p. 27.

grille appliquée aux femmes donne de 47,6 à 22,9% d'actives « immobiles » par rapport au groupe de leur père (Vallet, 1999).

Ainsi, le statut social, mesuré par la profession, est de moins en moins souvent « hérité » ou transmis d'une génération à l'autre. De plus en plus d'individus font l'expérience d'un statut différent de celui de leurs parents. L'augmentation ou l'accélération des échanges entre les groupes sociaux que traduisent ces résultats ont sans doute des effets à la fois sur le « vécu » des membres des différents groupes, qui ont connu des histoires sociales plus diversifiées (6), et sur les groupes sociaux eux-mêmes, qui peuvent devenir à la fois moins homogènes et socialement moins différenciés.

Ce premier résultat est donc important pour l'analyse sociologique de la société actuelle qu'il invite à comprendre à partir de son histoire sociale (les bouleversements socio-économiques des dernières décennies). Il peut cependant laisser place à une autre question qui reste entière. En effet, cet accroissement de la mobilité sociale observée s'explique d'abord par celui de l'évolution des structures sociales. Ainsi, le tableau de mobilité de 1993 ne fait pas seulement apparaître moins d'individus sur la diagonale que celui de 1953, mais aussi une plus grande différence entre les deux marges des tableaux, c'est-à-dire entre la structure des destinées (groupes des enquêtés) et celle des origines (groupes de leurs pères) (7).

La « fluidité sociale » évolue-t-elle ?

Égalisation des chances et démocratisation

La question se pose donc de savoir si le progrès de la mobilité ne traduit que l'effet de ces changements structurels et dans quelle mesure il peut signifier aussi un progrès de l'égalité des chances en tant que telle, c'est-à-dire une réduction des inégalités relatives dans les conditions de l'accès aux différents statuts sociaux. Par exemple, les enfants d'ouvriers sont devenus plus souvent cadres en fin qu'en début de période. Mais c'est au moins en partie l'effet de l'accroissement numérique du groupe des cadres (et il en va de même pour les enfants de tous les groupes). Peut-on donc dire que les destins sociaux se sont assouplis dans un sens qui leur soit favorable, qu'ils aient relativement plus « gagné » que d'autres groupes dans le jeu de l'évolution de la mobilité ?

C'est la même question que celle de la « démocratisation » de l'accès à un bien quelconque, par exemple l'enseignement. Le fait que de plus en plus d'enfants en général, et de plus en plus d'enfants de tous les groupes sociaux en particulier, accèdent à un niveau scolaire donné (comme le baccalauréat ou les études supérieures) implique des effets sociaux importants (pour le fonctionnement des établissements, pour l'expérience sociale des élèves ou étudiants, pour la valeur sociale des diplômes et la transformation de la structure des diplômes, etc.), mais on ne peut véritablement affirmer qu'il y a démocratisation si, à travers ces changements, les inégalités sociales tendent à se maintenir au même niveau (8). On peut se demander de même si, à travers l'augmentation des échanges entre les groupes sociaux que montrent les tableaux de mobilité sociale, c'est à une « démocratisation » des différentes destinées sociales que l'on assiste.

Dans le vocabulaire qui s'est imposé dans les recherches sur la mobilité sociale (notamment avec les travaux de John Goldthorpe), cela consiste à se demander si, au-delà (ou, en quelque sorte, au-dessous) des évolutions de la mobilité « absolue », ou « observée », la mobilité « relative », ou « fluidité sociale » a elle-même évolué (cf. par exemple Goldthorpe, 1995).

Une certaine progression de la fluidité sociale

Pendant longtemps les réponses à cette question ont été plutôt négatives ou fondées sur des résultats qui pouvaient paraître statistiquement fragiles. C'est le cas par exemple dans l'ouvrage classique de Claude Thélot, qui estime qu'une faible part de l'évolution constatée entre 1953 et 1977 pourrait être attribuée à un assouplissement du lien entre origines et destinées (Thélot, 1982).

L'étude récente de Louis-André Vallet permet de répondre maintenant de manière précise que, de 1953 à 1993, on peut mettre en évidence un progrès, sans doute faible mais statistiquement assuré, de la fluidité sociale, à un rythme moyen qui conduirait, s'il était maintenu de manière durable, à une « fluidité » totale (absence de lien statistique entre origines et destinées) au bout de deux siècles, puisque « l'association statistique […] entre origine et position sociales a diminué au rythme régulier de 0,5% par an durant quarante ans ». En reconstruisant les tableaux

La société
française
contemporaine
Cahiers français
n° 291

Mobilité
sociale

57

(6) Le point de vue sur la société est fonction des trajectoires sociales ; l'identité sociale est plus facilement vécue sur le mode de l'évidence dans une société stable où le statut est largement hérité que lorsque les destins sociaux deviennent variables dans une structure sociale elle-même en transformation. L'expérience de la mobilité sociale peut s'associer à des problèmes d'adaptation, du fait de la différence entre les milieux successifs où se réalisent la socialisation de l'enfant (dans la famille), celle du jeune (à l'école) et celle de l'adulte (dans son milieu professionnel). Elle peut se vivre comme une forme d'abandon ou de trahison du milieu familial, alors même qu'elle est l'aboutissement de la bonne volonté mise à incarner les espoirs de réussite sociale des parents (Gaulejac, 1987).

(7) Si l'on additionne les différences entre ces deux structures, on trouve 20,9% (en positif et en négatif) pour l'enquête de 1993 contre 14,1% pour celle de 1953 (cf. Vallet, 1999, note 21). Ces pourcentages (ou « indices de dissimilarité ») représentent la part minimale de mobilité qu'on doit nécessairement observer dans ces tableaux si on prend ces marges comme données.

(8) Il n'est donc pas très éclairant d'appeler « démocratisation uniforme » un résultat qui montrerait que la diffusion des diplômes « ne réduit pas forcément les inégalités » ou qu'il « n'y a pas à proprement parler de déformation du lien entre destinée scolaire et niveau social d'origine » (Goux, Maurin, 1995, pp. 114-115).

statistiques qu'auraient donnés les marges observées en 1993 si la « fluidité » était restée constante depuis 1953, il peut chiffrer à 460 000 les hommes et femmes de 35 à 59 ans ayant un emploi en 1993 (sur douze millions) dont la position sociale aurait été différente en l'absence de cette réduction des inégalités sociales (Vallet, 1999).

Si les méthodes statistiques nécessaires pour aboutir à ces résultats ne sont pas d'un abord immédiat, il est possible de les illustrer par des calculs assez simples à mettre en œuvre. L'inégalité dans les destins sociaux peut se mesurer en comparant le rapport entre les chances d'accès à une catégorie plutôt qu'à une autre des enfants de deux catégories différentes. Par exemple, en 1953, ce sont 43% des fils de « cadre supérieur » qui accèdent à cette même catégorie, pour 1% qui deviennent « ouvriers ». Ils sont donc 43 fois plus souvent cadres supérieurs qu'ouvriers. Chez les fils d'ouvriers, ces proportions sont 2% et 62%. Ils sont donc 31 fois moins souvent cadres supérieurs qu'ouvriers. Les « chances relatives » de devenir cadre supérieur plutôt qu'ouvrier sont ainsi dans un rapport de 43 à 1/31, soit 43 x 31 = 1 333 fois plus grandes chez les fils de cadre supérieur que chez les fils d'ouvrier (9). Quarante ans plus tard, les fils de cadre supérieur ont vu augmenter leur probabilité de devenir ouvriers et les fils d'ouvrier celle de devenir cadres supérieurs. Le même calcul opéré sur les proportions constatées (avec des catégories définies de manière aussi proche que possible) dans l'enquête de 1993 donne alors les fils de cadre supérieur 4,5 fois plus souvent cadres supérieurs qu'ouvriers et les fils d'ouvrier 4,6 fois plus souvent ouvriers que cadres supérieurs. Les « chances relatives » de devenir cadre supérieur plutôt qu'ouvrier sont alors de 4,5 à 1/4,6, soit 4,5 x 4,6 = 20,7 fois plus grandes chez les fils de cadre que chez les fils d'ouvrier. L'inégalité des destins sociaux mesurée par cet indicateur reste importante mais fait apparaître une diminution marquée (10).

définition statistique des catégories a changé, il faut donc constituer des sous-ensembles aussi stables que possible pour la comparaison) et un problème de fond : peut-on analyser dans les mêmes catégories la société française sur une longue durée (celle qui sépare ici les pères des enquêtés de 59 ans en 1953 des enquêtés de 35 ans en 1993) ?

La logique de la comparaison des tableaux de mobilité sociale conduit à tenir les catégories comme stables au moins dans leurs rapports et à interpréter par exemple les progrès de la mobilité comme impliquant un accroissement des distances sociales franchies. On peut inverser cette lecture et penser que l'accroissement des flux entre deux groupes signifie non pas que la même distance est franchie par un nombre croissant d'individus mais que cette distance s'est réduite. Dans cette perspective, la « distance sociale » qui sépare les groupes sociaux n'est pas supposée connue et stable ; ce sont les flux de mobilité qu'on peut interpréter comme un indicateur de ces distances, soit que la proportion de mobiles augmente parce que la distance se réduit, soit, aussi bien, que la distance ne se réduise du fait même de ces échanges. Ainsi, le fait qu'augmentent non seulement la proportion de fils d'ouvrier qui deviennent cadres (ce qui est conforme aux évolutions structurelles) mais aussi et surtout celle des fils de cadre qui deviennent ouvriers (ce qui ne l'est pas) peut être interprété comme signifiant que les évolutions de ces groupes sociaux se traduisent par une réduction de la différence (ou « distance ») sociale qui les sépare (12).

Dominique Merllié

Évolution des destins et évolution des groupes sociaux

Ainsi, même si la structure des échanges entre groupes sociaux que manifestent les enquêtes de mobilité sociale reste relativement stable, même si l'évolution de ces échanges semble dépendre d'abord de celle des structures sociales elles-mêmes, dont les transformations se sont accélérées, un certain assouplissement (progrès de la « fluidité sociale ») dans le « régime » de mobilité que l'on peut tenter de discerner sous ces transformations a été établi. Cela signifie que, dans ce domaine au moins, les inégalités entre les groupes socioprofessionnels tendent à s'atténuer modérément à long terme (11).

L'interprétation sociologique de ces résultats peut cependant rester problématique. On a besoin, pour les établir, de disposer d'un système de catégories stable, ce qui pose à la fois un problème technique (la

(9) Cette valeur ne représente qu'un ordre de grandeur étant donné la faiblesse des effectifs sur lesquels elle repose tant pour les fils de cadre supérieur qui deviennent ouvriers que pour les fils d'ouvrier qui deviennent cadres supérieurs.
(10) L'intérêt pratique de ce type d'indicateur (« *odds ratio* ») qui fait le rapport entre des rapports de chances est que les résultats du calcul sont alors indépendants des proportions des différentes catégories dans la population d'ensemble (c'est-à-dire dans les marges du tableau). Ces calculs ne sont donc pas affectés par le fait que, dans les tableaux de mobilité comparés, les proportions des origines et des destinées considérées varient au cours du temps.
(11) Ce constat n'est pas généralisable à tous les domaines. Par exemple les inégalités sociales des hommes devant la mort semblent résister aux progrès de la durée de la vie (Cf. Annie Mesrine, « Les différences de mortalité par milieu social restent fortes », *Données sociales 1999*, pp. 228-235).
(12) Ainsi, les cadres, de plus en plus nombreux, apparaissent moins comme des travailleurs disposant d'un statut très spécifique ou distinct de celui des autres, tandis que les ouvriers, dont le nombre et la visibilité sociale diminuent, sont de moins en moins souvent des travailleurs conformes à l'image sociale dominante qu'on s'en fait.

La société française contemporaine
Cahiers français
n° 291

Mobilité sociale

Références bibliographiques

Bozon Michel, « Le choix du conjoint » *in* François de Singly (éd.), *La famille. L'état des savoirs*, Paris, La Découverte, 1991, pp. 22-33.

Chenu Alain, *Les employés*, Paris, La Découverte, coll. « Repères », 1994.

Galland Olivier, Rouault Dominique, « Devenir cadre dès trente ans », *Économie et statistique*, n°316-317, 1998, pp. 97-107.

Gaulejac Vincent de, *La névrose de classe. Trajectoire sociale et conflits d'identité*, Paris, Hommes et Groupes, 1987.

Girard Alain :

- « La mobilité sociale en France », *Les Cahiers français*, n°16, avril 1957, pp. 2-7 ;

- *Le choix du conjoint*, Paris, PUF et INED, 1964 (rééd. 1974 et 1981).

Goldthorpe John H., « Le "noyau dur" : fluidité sociale en Angleterre et en France dans les années 70 et 80 », *Revue française de sociologie*, XXXVI, n°1, janvier-mars 1995, pp. 61-79.

Gollac Michel, Laulhé Pierre, « La mobilité sociale », *Économie et statistique*, n°199-200, mai-juin 1987, pp. 83-113.

Goux Dominique, Maurin Éric :

- « Origine sociale et destinée scolaire », *Revue française de sociologie*, XXXVI, n°1, janvier-mars 1995, pp. 81-121 ;

- « La mobilité sociale en France », *Données sociales*, 1996, pp. 310-316.

Merllié Dominique, *Les enquêtes de mobilité sociale*, Paris, PUF, coll. « Le sociologue », 1994.

Merllié Dominique, Prévot Jean, *La mobilité sociale*, Paris, La Découverte, coll. « Repères », 1997 (2e éd.).

Pan Ké Shon Jean-Louis, « D'où sont mes amis venus ? », *INSEE-Première*, n°613, octobre 1998.

Thélot Claude, *Tel père, tel fils ? Position sociale et origine familiale*, Paris, Dunod, 1982.

Vallet Louis-André :

- « La mobilité sociale des femmes en France », *in* Laurence Coutrot et Claude Dubar, *Cheminements professionnels et mobilités sociales*, Paris, La Documentation française, 1992, pp. 179-200 ;

- « Quarante années de mobilité sociale en France. L'évolution de la fluidité sociale à la lumière de modèles récents », *Revue française de sociologie*, XL, n°1, janvier-mars 1999, pp. 5-64.

La société française contemporaine
Cahiers français n° 291

Mobilité sociale

Modes de vie et consommation

La société
française
contemporaine
Cahiers français
n° 291

Modes de vie
et
consommation

Si les niveaux de vie, mesurés par le revenu disponible, et les consommations de l'ensemble des ménages continuent d'augmenter régulièrement, ils nourrissent aussi parfois des sentiments d'insatisfaction. Grâce à un examen détaillé de l'évolution des consommations des Français, Nicolas Herpin et Daniel Verger montrent comment la transformation des modes de vie (périurbanisation, évolutions démographiques notamment) a induit des modifications sensibles des dépenses des ménages.

C. F.

Niveaux de vie et modes de vie : évolutions et perspectives

Depuis 1980, et à l'exception de 1993 où la consommation par tête diminue légèrement, le niveau du revenu et celui de la consommation réelle par tête sont croissants, même si le rythme est moins rapide que durant les deux décennies précédentes. Divers indices confirment que le niveau de vie moyen n'a pas cessé de s'élever : les départs en vacances ne connaissent pas de recul, même au creux de la récession en 1993 ; les logements offrent en moyenne une surface par personne toujours plus grande, sont mieux chauffés, mieux insonorisés, mieux équipés d'appareils allégeant les tâches domestiques. La télévision, le téléphone, voire l'automobile, passent d'un marché de renouvellement à un marché de multiéquipement. Dans l'audiovisuel et les télécommunications, les innovations se diffusent dans le grand public plus vite que la télévision et le téléphone aux générations précédentes.
Ce diagnostic contraste avec tout un discours ambiant sur la crise, la montée des inquiétudes, voire un changement radical des attitudes vis-à-vis des acquis de la société de consommation (Rochefort, 1995). Plusieurs phénomènes peuvent faire comprendre

pourquoi le niveau de vie et le niveau de satisfaction ne varient pas parallèlement. On peut évoquer l'existence d'un écart entre la croissance effective – ralentie – et celle qui avait été anticipée. On peut aussi songer pour la France à une inquiétude relative aux services publics. Car la consommation des ménages n'est pas réduite à leurs seules dépenses (tableau 1).

1. Dépenses des ménages et consommations gratuites en 1992
(en milliards de francs)

	Dépenses de consommation des ménages	Dépenses individualisées des administrations publiques et des institutions sans but lucratif	Formation brute de capital fixe des ménages
Total	3918,7	986,3	344,6
dont			
Pharmacie, parfumerie	112,2	69,7	0
Bâtiment	42,4	0,1	242,9
Location immobilière	640,3	47,0	0
Activités récréatives et culturelles	102,2	46,8	0
Éducation	31,2	297,0	0
Santé	91,0	367,9	0
Action sociale	42,5	62,9	0
Administration publique	0,4	68,4	0

Source : INSEE, Comptabilité nationale.

Pour être complet, il faudrait y ajouter des consommations de services fournis gratuitement par l'État, dans le domaine de l'éducation, de la santé, de l'action sociale ou de l'administration publique – ce qui, d'après les premières estimations de la nouvelle base de la Comptabilité Nationale, représentait en 1992 un surcroît de consommation d'environ un quart. Même s'il est vrai que dans la période étudiée la consommation socialisée augmente, sa progression n'a cessé de ralentir. Avec appréhension, les ménages anticipent qu'une partie croissante des frais de la santé, du logement, d'éducation, de loisir (multiplication des chaînes de télévision privées et payantes) ou des communications émerge à l'avenir sur leur propre budget.
Cette contribution s'intéresse à une raison supplémentaire pour laquelle une déception à l'égard de la consommation peut accompagner des niveaux de vie croissants. La transformation du mode de vie fait disparaître certains besoins qui étaient relativement

satisfaits ; en en développant d'autres, elle amène le ménage à revoir la répartition de ses dépenses et peut ainsi l'obliger à réduire le montant habituel dans certains domaines. L'habitat urbain populaire, par exemple, en s'éloignant des centres villes vers des zones périphériques, modifie les déplacements et l'utilisation des moyens de transport. Pour préserver l'équilibre budgétaire, ces ménages peuvent être amenés à réduire leurs dépenses d'habillement, voire même celles relatives à l'alimentation. La situation budgétaire nouvelle, liée à des conditions de vie qui ont changé, surtout si elle a été mal anticipée, peut alors conduire ces ménages à juger que leur mode de vie s'est globalement dégradé et cela malgré un niveau de vie qui a crû (faiblement, il est vrai). Cette hypothèse ne peut pas être examinée pour la période étudiée tant qu'on en reste à un niveau agrégé des dépenses : la structure budgétaire est assez stable, le jeu des compensations internes rendant de peu d'amplitude les évolutions mesurées en part de budget (tableau 2 ci-contre). En revanche, les séries de consommation de la Comptabilité Nationale en 297 postes font davantage ressortir le renouvellement des produits (par disparition et par innovation). Ce détail permet de mieux saisir dans quel sens agit le niveau de vie croissant et met aussi en évidence les effets de la périurbanisation de l'habitat en France et des transformations démographiques qu'a connus le foyer dans cette période (Herpin, Verger, 1999b). Besoins et produits sont donc évoqués dans leur diversité de façon à faire ressortir la nature des appariements recherchés par le consommateur de cette période, poste par poste.

Alimentation : modernisation de l'approvisionnement et craintes relatives à la nutrition

La demande alimentaire est globalement saturée : la part budgétaire est en baisse et le niveau de dépenses est en faible hausse. Mais elle connaît un profond bouleversement dans le détail de l'approvisionnement.

Gains de temps

L'évolution ne se fait pas en faveur des produits naturels, les produits de l'industrie agro-alimentaire ayant plusieurs atouts. Le temps de préparation est plus faible, ce qui convient à un monde où progresse l'activité professionnelle féminine. La participation des femmes au marché de l'emploi ne conduit pas les couples à partager plus équitablement la production domestique et en particulier la préparation des repas. Ces activités ne sont pas, non plus, sous-traitées par le foyer : *les services domestiques* (les expressions *en italiques* renvoient aux intitulés de poste dans la Comptabilité Nationale), dont le prix relatif est en hausse au cours de la période, stagnent en volume, les

2. L'évolution de la consommation : les coefficients budgétaires

	1980	1995
Alimentation à domicile et cantine	22,3	19,2
Habillement et soins cosmétiques	11,7	9,3
Maison : gestion et équipement domestique	30,2	32,4
Transport et communication	16,4	16,1
Loisirs : équipement et sorties	11,3	12,0
Santé	8,1	11,0
Total	100	100

Note : la production autoconsommée par les foyers n'est pas comprise dans ce tableau. Elle représentait 0,8% en 1980 et 0,5% en 1995.

Source : INSEE, Comptabilité nationale.

mesures fiscales prises en leur faveur n'ayant pas eu leur plein effet. En 1995, 5% seulement des ménages emploient une femme de ménage et moins d'un ménage sur mille, une employée de maison à temps plein. Le gain de temps attendu repose donc sur la modernisation des équipements et des approvisionnements en biens fongibles. Les femmes font moins de cuisine et le recours aux denrées composant le fonds de cuisine se fait plus rare : les niveaux absolus sont en baisse pour le *sucre* ; ils stagnent pour le *sel*, le *beurre*, la *farine*, les *œufs* malgré une baisse de leur prix relatif. Les *légumes frais*, lourds à transporter, embarrassants à stocker, longs à éplucher se voient préférer les *légumes en boîte ou surgelés*.

Variétés

Les produits des industries agro-alimentaires ne représentent pas seulement un gain de temps. Leur succès sur les aliments bruts issus de l'agriculture comme les légumes, les fruits frais, ou sur les premiers produits industriels vieillis comme le lait concentré, les entremets et même les pâtes alimentaires, provient aussi de leur variété. Les repas reviennent plusieurs fois par jour et le maintien du plaisir gustatif dépend de la diversité des menus, plus facile à obtenir par l'offre commerciale que par la cuisine « maison » où les « cordons-bleus » sont rares. Les « crèmes glacées » sont commercialisées en gamme de parfums et leur classification est mise à jour avant chaque printemps. Les chefs des restaurants les plus prestigieux sont consultés par les firmes de l'agro-alimentaire et diffusent ainsi sur grande échelle leurs inventions gastronomiques. Il s'agit-là de produits « de luxe » dont le prix relatif en hausse freine la croissance du volume. Un tel frein n'existe pas cependant pour d'autres groupes diversifiés comme les *produits laitiers frais*, les *condiments/vinaigre/sauces préparées*, les *pâtisseries industrielles/biscottes/biscuits*, les *charcuteries/conserves de viande* dont les prix relatifs en baisse contribuent à massifier la consommation.

Sécurité alimentaire et santé

La chaîne du froid favorise l'industrie agro-alimentaire par rapport à l'artisanat traditionnel, boulangers, pâtissiers et bouchers, du moins sur le plan du respect des normes d'hygiène et de conservation. Elle explique aussi pourquoi le « fast food » l'emporte sur la cuisine artisanale des cafés-restaurants. Car si le « fast food » et la cuisine industrielle ont la réputation d'être moins savoureux que les préparations artisanales ou domestiques (ils ont plutôt une qualité plus constante et sont sans mauvaise mais aussi sans bonne surprise), en revanche les premiers respectent davantage que les seconds les règles d'hygiène. La notoriété des marques est aussi une garantie pour le consommateur. Les entreprises qui ont bénéficié d'une rente due à leur réputation en sont aussi tributaires. Elles ne relâchent pas leur contrôle sur la qualité de leur production, car prises en défaut, elles savent qu'elles seront sanctionnées par la défection de leur clientèle.

La conscience des risques que fait courir l'alimentation ne se limite pas aux conséquences à court terme de l'intoxication alimentaire. De la composition du panier de la ménagère dépendent la corpulence, l'état de santé et la longévité des membres du ménage. Les liens entre alimentation et santé sont de mieux en mieux perçus : soucieux de se maintenir en bonne santé, le consommateur va désormais privilégier la qualité par rapport à la quantité, substituant le *vin AOC* au vin ordinaire, diminuer les *autres boissons alcoolisées* (bière, cidre, liqueurs et apéritifs) au profit des *jus de fruit*, des *boissons gazeuses* et de l'eau minérale, et réduire le *tabac*. Les *entremets/desserts* et les *laits concentrés/secs* sont trop sucrés pour être considérés comme des produits sains. Les risques d'une alimentation trop carnée expliquent une partie du déclin de la consommation de viande. S'y ajoutent deux phénomènes : le remplacement du produit d'origine par des plats cuisinés ayant de la viande comme ingrédient et une réticence croissante à l'égard des produits animaux. Le « veau aux hormones », les « poulets élevés en batterie » et plus récemment la « vache folle », ces « affaires » fortement médiatisées ont renforcé le « végétalisme » dans l'opinion – végétalisme auquel on peut sans doute rattacher le discrédit dont souffre la *maroquinerie*.

Santé : avancée technologique et retrait des dépenses publiques

La santé est le seul domaine où tous les types de dépense ont un volume en progression plus rapide que l'ensemble de la consommation, ce qui traduit à la fois des évolutions réelles du volume des soins et l'augmentation de la part du coût à la charge des ménages, la seule comptabilisée dans le tableau 2.

La technologie médicale qui progresse rapidement transforme les conditions de vie des patients. Les nouveaux équipements, dont le coût est élevé et qui doivent être rapidement amortis avant de devenir obsolètes, sont implantés dans un plus petit nombre de centres qu'auparavant mais sont aussi utilisés de façon plus intensive. Qu'il s'agisse d'interventions chirurgicales, d'examens préopératoires ou de soins postopératoires nécessitant des appareils et du personnel très spécialisés, les patients sont drainés sur un territoire large, leurs visites programmées, leurs déplacements effectués sur des distances importantes. Les *ambulances* voient le volume de leur intervention croître relativement vite. En contrepartie, la tendance est plutôt au raccourcissement de la durée d'hébergement dans les centres de soins : une partie des services « hôteliers » de l'hôpital se voit donc transférée aux familles. Les médecins généralistes locaux et les professions paramédicales sont moins dépossédés des soins thérapeutiques. Le maintien au domicile garde au patient son environnement familier, plus en conformité avec le niveau de confort auquel il est habitué. Le malade bénéficie ainsi d'une meilleure qualité de la vie – qui se traduit aussi par la lutte contre la douleur, par l'accueil de la famille dans les hôpitaux et par la prise en compte de la dimension psychologique des événements médicaux. Cette humanisation des soins permet aussi de poursuivre un second objectif puisqu'en laissant le patient dans son environnement habituel, elle contribue aussi à freiner la croissance des dépenses publiques. D'autres dispositifs ayant cet objectif sont mis en place au cours de cette période.

La couverture publique de la consommation médicale qui avait progressé jusqu'en 1982, s'est ensuite stabilisée et même régresse légèrement en 1995. Pour ne pas encourager la durée de l'hospitalisation des patients, les hôpitaux publics et les cliniques conventionnées ne sont plus financés sur la base du « prix de journée » mais reçoivent une dotation globale de fonctionnement depuis 1984. Les ménages, d'autre part, sont aussi incités à modérer leur recours aux soins et aux médicaments par le développement des honoraires libres et la hausse du ticket modérateur. Ces mesures introduisent davantage de contraintes financières sur certains soins. Les *cures*, les *frais de séjours dans les hôpitaux* et ceux dans les *centres hébergeant des personnes âgées* sont des services qui progressent au rythme de l'ensemble de la consommation. En revanche, les *analyses*, les *prothèses* et la *pharmacie humaine* croissent en volume deux fois plus vite que la croissance moyenne de la consommation.

Habillement et soins cosmétiques du corps : rajeunissement des produits et bipolarisation de l'offre

Des évolutions contrastées

La mise en valeur des formes et la conservation d'une apparence jeune, allant de pair avec une société dont les mœurs se libèrent, où la mise en couple des jeunes

La société française contemporaine
Cahiers français n° 291

Modes de vie et consommation

62

se fait plus tardivement et où croît la proportion des mariages terminés par un divorce, sont favorables à la croissance de soins corporels de nature cosmétique. La *parfumerie* a un volume en progression aussi rapide que l'ensemble de la consommation. Il en est de même pour les *centres sportifs* et les *lunettes de soleil*. Progressent aussi les indices de volume de *l'esthétique corporelle*, des *professeurs de sport*. On rapprochera enfin de ces postes la progression du *savon/détergent*. Soin des apparences, propreté physique, changement fréquent des vêtements et notamment nettoyage quotidien du linge de corps sont en effet corrélés. En revanche, la demande pour l'habillement, plus encore que pour l'alimentation, est globalement saturée. Certains des groupes de produits, tels les *vêtements masculins de dessus*, les *vêtements d'enfant*, les *sous-vêtements en bonneterie*, ont beau avoir connu au début des années 80 une croissance de leur niveau absolu, sur la période aucun d'entre eux n'atteint une progression s'approchant de celle de l'ensemble de la consommation.

Vêtement et jeunesse

La situation économique des jeunes pénalise le marché de l'habillement. Les jeunes adultes ont en général terminé leur croissance mais leur garde-robe n'est pas aussi fournie que celle des adultes plus âgés. De plus, leur vie sociale active crée des besoins vestimentaires spécifiques. Cette période du cycle de vie est celle des rencontres, des sorties et de l'approfondissement des relations interpersonnelles. Les jeunes travaillent leur apparence de façon à tirer parti au mieux de leurs particularités physiques. Pour ces deux raisons, les jeunes adultes sont potentiellement une clientèle de choix pour la confection vestimentaire et l'industrie de la chaussure. Mais l'appauvrissement relatif des jeunes et le retard de leur émancipation économique par rapport aux générations précédentes expliquent en partie la stagnation que connaît la consommation d'habillement.

Les stylistes s'inspirant des comportements des jeunes pour innover en direction de toutes les classes d'âge, la « silhouette jeune » s'impose à tous. Le tee-shirt ou le polo est préféré à la chemise ou au chemisier, les baskets aux escarpins en peau, le caleçon long aux bas, la minijupe à la robe, le pull-over à la veste, le sac à dos en toile au sac à main en cuir, l'accumulation de bijoux « fantaisie » à la bague de fiançailles en pierre précieuse et or. Ces articles nouveaux sont aussi plus industriels. Ils couvrent néanmoins toute la gamme des qualités. Mais leur coupe, leur décoration et leurs autres caractéristiques symboliques se renouvellent de façon plus lente que celles de la mode saisonnière, orchestrée à distance par la Haute Couture.

La mode

La mode saisonnière n'a pas disparu mais s'est éloignée de la Haute Couture : le bas de gamme offre des articles uniformes et renouvelés périodiquement

en fin de saison, à un rythme analogue à celui qu'a connu le milieu de gamme dans les années 50. Ces produits « frais », comme les désignent les professionnels de l'habillement, importés souvent des pays où la main-d'œuvre est moins chère, sont diffusés par lot en début de saison dans la grande distribution spécialisée mais aussi généraliste. Leur prix unitaire est faible et leur lancement s'accompagne de campagnes publicitaires. Fabriqués trop loin et dans des conditions que contrôlent mal les donneurs d'ordre, ces vêtements et ces articles chaussants ne peuvent faire l'objet de réassortiment en cas de succès. Ils ne sont pas conçus, non plus, pour être stockés d'une saison sur l'autre en cas de mévente. Quand la dynamique de la mode ne se déclenche pas ou se produit de façon insuffisante, ils sont donc soldés. Ce circuit « bon marché » offre néanmoins des produits robustes et confortables dont l'attrait ne se limite pas aux catégories sociales les plus modestes. Leur rapport qualité/prix freine la croissance des boutiques franchisées et du prêt-à-porter de luxe. Cet assagissement relatif du goût pour l'éphémère caractérise aussi, à l'autre extrémité du marché, l'habillement de luxe. Ce second circuit se définit par des séries plus courtes, diffusées par des boutiques, bien situées dans le territoire urbain et offrant davantage de services à la clientèle. Ce réseau de détaillants franchisés, chacun lié à un producteur, est flexible dans la mesure où il dispose d'une capacité à se réapprovisionner. Dans ces conditions, l'habillement de luxe tend à se redéfinir sur le modèle de la confection artisanale. Par rapport aux produits précédents diffusés par la grande distribution spécialisée, les articles sont davantage finis et plus diversifiés pour les tailles, les coloris et les matériaux. De plus, – et c'est ce qui distingue ces produits du « prêt-à-porter » de ceux de la mode couture –, l'offre dans ce second circuit est à la fois plus diverse et plus permanente dans sa diversité, car chaque marque suit d'une saison sur l'autre l'orientation esthétique qui la rend originale par rapport aux marques concurrentes.

Logement : la maison individuelle en baisse, la qualité de l'habitat en hausse

L'habitat individuel remis en question

Plus de la moitié des 23 millions de résidences principales en 1996 sont des maisons individuelles ; mais l'activité récente du secteur de la construction récente ne leur est plus favorable. Après avoir connu une période faste, l'habitat en maison individuelle n'a pas progressé depuis 1992, et ce pour plusieurs raisons. La maison individuelle est l'habitat auquel aspirent tout particulièrement les foyers modestes : ceux d'origine rurale qui ont toujours vécu dans des maisons individuelles et ceux d'origine urbaine qui résident

La société française contemporaine
Cahiers français n° 291

Modes de vie et consommation

63

dans l'habitat collectif le moins confortable (excentré et mal relié au centre ville, mal insonorisé ou entretenu et dont le voisinage est perçu comme oppressant, voire menaçant). Or, moins aidés par les politiques publiques et par le recul de l'inflation, les foyers les plus modestes sont restés locataires dans l'habitat collectif, renonçant à la maison individuelle à laquelle ils auraient accédé en devenant propriétaires. Le vieillissement de la population n'est pas non plus favorable à la maison individuelle. Le quatrième âge qui dépend des services médicaux et des petits commerces est d'autant plus facilement maintenu à domicile qu'il réside dans l'habitat collectif des centres villes.

Aux comportements de ces deux populations particulières, il faut ajouter les effets d'un certain désenchantement général à l'égard de la maison individuelle. Les nouveaux pavillonnaires n'ont pas toujours bien anticipé le bruit et les autres nuisances liées à la proximité des voisins (les jardins qui incitent à la vie en plein air, la possession d'animaux familiers), à l'éloignement des centres villes, au coût du transport et au temps passé dans les déplacements. A plus long terme, l'entretien de cet habitat est relativement onéreux. Les constructions, réalisées à la période d'enthousiasme pour la maison individuelle, sont souvent de qualité médiocre et vieillissent mal. Leur valeur de revente est amputée par le prix de leur nécessaire réhabilitation. Cette prise de conscience est favorable à l'habitat collectif, d'autant que l'insonorisation y a beaucoup progressé. Les plaintes des occupants à l'égard du bruit sont plus fréquentes dans le logement collectif que dans le logement individuel certes, mais dans les constructions récentes, la fréquence de ces plaintes, en diminution pour les deux habitats, s'affaiblit plus rapidement pour les logements collectifs.

Recul des résidences secondaires

Ces facteurs sont également à l'œuvre dans le cas de la résidence secondaire, dont la possession marque un net recul. La maison et le jardin sont plus difficiles à entretenir puisqu'on y habite que quelques semaines par an. Les risques de cambriolage y sont plus élevés. La mauvaise qualité des constructions dans les lotissements en bord de mer notamment en rend difficile la revente. Le désenchantement à l'égard de la résidence secondaire a aussi des causes particulières. Au fur et à mesure que les générations urbaines se succèdent, les foyers perdent tout enracinement rural. Or, une part importante des résidences secondaires était de fait constituée par les anciennes résidences principales des parents ruraux. La disposition d'une résidence secondaire, enfin, est associée à des comportements relativement casaniers au moment des congés. Or, les voyages et les circuits touristiques représentent une façon alternative de passer ses vacances, qui, davantage que la résidence secondaire, bénéficie des innovations dans les services (nouveaux sports, nouvelles expériences, …) et de la baisse des coûts (notamment dans les transports à grande distance).

Amélioration de la qualité

Malgré des prix relatifs en augmentation, le volume des *loyers réels et fictifs* est en hausse. Le nombre des ménages a continué de croître plus vite que la taille de la population mais surtout la qualité du logement s'améliore. Les jeunes générations se montrent plus exigeantes. Au moment où ils sont en âge de s'installer, les jeunes « héritent » comme standard du niveau de confort atteint par leur famille d'origine, niveau plus élevé que celui de leurs parents au moment de leur première installation et qui n'a été atteint par ces derniers que beaucoup plus tard, à la maturité ou à l'âge de la retraite. Les nouvelles normes officielles de la construction accompagnent cette orientation. Ainsi les immeubles récents ou rénovés doivent fournir une meilleure isolation phonique et thermique. En application de la loi Malraux, les façades des immeubles doivent faire l'objet d'un ravalement périodique. Les logements les plus vétustes disparaissent avec la réhabilitation des quartiers populaires dans les centres villes et dans la banlieue de construction ancienne. Le gros entretien du parc bâti se traduit aussi par l'assainissement des caves, l'installation d'ascenseurs dans les étages, d'espaces verts, de parkings. Les logements sont vendus ou loués désormais avec des cuisines aménagées.

L'intérieur et son équipement : le goût postmoderne

La « maison bourgeoise », avec ses pièces de « réception » séparées des chambres et des pièces où travaillent et logent les domestiques, décorée avec des meubles de style, des rideaux aux fenêtres, des lustres et des tapis, avec sa table ornée de vaisselle en porcelaine, de verres en cristal taillé, de couverts en argent, ne s'impose plus comme modèle pour concevoir l'aménagement de son intérieur. Entre 1984 et 1996, le nombre de pièces par logement a peu varié (3,8 à 4) et, s'il s'accroît, ce n'est pas par les pièces de réception mais par les chambres. Les comportements de mise en couple ne sont pas, non plus, favorables à une consommation d'apparat. Les jeunes couples se marient ou rendent officielle leur union après une longue période de vie commune au cours de laquelle ils ont accumulé des équipements de base et installé leur foyer, vidant ainsi la liste de mariage d'une partie de ses composantes traditionnelles prestigieuses (*vaisselle, couverts* ou *linge de maison*). Les *lampes, linge de maison, miroir* sont aussi en baisse absolue pour le volume. Les logements sont achetés ou loués avec des cuisines déjà aménagées, avec meubles et équipement intégrés. Le seul segment dynamique de l'ameublement, tiré par des prix relatifs en baisse, est celui des *meubles divers*, meubles en kit ou d'importation, notamment en rotin ou en osier. Les *panneaux en bois*, les *accessoires en bronze*, les *vis et boulons* et la plupart des *matériaux nécessaires au bricolage* étant fournis avec le kit, leur vente au détail est en déclin.

Le style « postmoderne » dans l'architecture allie éclectisme dans la décoration mais aussi fonctionnalité dans l'aménagement de l'espace et technicité des équipements. Il en est de même pour l'aménagement intérieur. Moins une vitrine où l'on reçoit conformément à son rang, le foyer est censé être un lieu de vie confortable où les préoccupations esthétiques ne sont pas régentées par un style légitime ou une mode. Cette conception profite néanmoins aux *antiquités*, dont la définition s'est élargie à tout ce que vendent la brocante et les salles des ventes, aux objets d'art, aux photographies et aux reproductions d'images ou de tableaux. Parallèlement à cette décoration souvent « rétro » mais personnalisée, l'intérêt des ménages pour les innovations technologiques ne faiblit pas, qu'il s'agisse d'équiper la cuisine en électroménager ou les autres pièces en appareils audiovisuels et de communication.

La demande de premier équipement approchant pour la plupart des biens la saturation, le marché s'oriente vers le renouvellement. Le consommateur jette plutôt que de prolonger l'existence de biens durables dont le fonctionnement commence à se détériorer. Les prix relatifs de machines neuves sont en baisse, concurrençant avec succès les *réparations des appareils électroménagers,* dont le volume stagne en raison des prix relatifs qui ont toujours crû plus rapidement que la moyenne. Le volume des équipements croît moins par la quantité que par la qualité des produits, les progrès de l'industrialisation mettant à portée de toutes les bourses les équipements domestiques « haut de gamme » initialement accessibles aux seuls ménages les plus aisés.

Transports et télécommunications : le second âge d'or de l'automobile est féminin

Un phénomène massif : la périurbanisation

La périurbanisation, commencée autour de l'agglomération parisienne, gagne la plupart des villes françaises. Les petites communes, localisées à proximité des villes et de leur banlieue, bénéficient de plus de la moitié de la croissance démographique entre 1982 et 1990. Un double courant alimente la périurbanisation : l'exode rural et le flux des rurbains, habitants des quartiers populaires en cours de rénovation et accédant à la propriété des milieux modestes. Nombre de ces actifs gardent leur emploi à la ville et font la navette les jours ouvrables entre les centres villes et leur périphérie. Les entreprises industrielles renforcent par leur installation le mouvement de périurbanisation : elles profitent du faible coût des terrains, du réseau routier et des facilités de la livraison, de la présence d'une main-d'œuvre de qualification diversifiée et disposant de moyens de transport. L'implantation des centres

commerciaux et des hypermarchés obéit à la même logique mais s'y ajoute la proximité massive des consommateurs équipés d'automobiles. Habitat, création d'emplois et implantations commerciales ont des effets cumulatifs d'autant plus forts qu'ils sont encouragés localement par une fiscalité « incitative » et par une politique de travaux publics, notamment par la construction de rocades urbaines.

Déclin de la sociabilité et essor des communications

La vie de quartier et la sociabilité de voisinage – notamment dans les petites agglomérations – déclinent en général ; elles s'effondrent même dans l'habitat populaire, soit parce que les opérations de réhabilitation urbaine évincent la population d'origine de leurs anciens quartiers soit parce que, fragilisées par le chômage, les populations résidentes désertent les cafés, les équipements publics et les rassemblements culturels, politiques ou confessionnels organisés sur une base locale et se replient sur le foyer. Le *matériel téléphonique* et les *télécommunications* ont connu un fort développement, soutenu par une réduction des tarifs et la progression des services annexes (Minitel) sur la période. Cet essor et celui de la télévision affaiblissent l'intensité des contacts de face à face que permet le voisinage. L'automobile, enfin, tout comme le chômage, la télévision et le téléphone, n'encourage pas la sociabilité locale. Les localités sont moins actives du fait de la disparition du petit commerce et des services de proximité (cinéma, artisans, ...), qui ne trouvent plus la clientèle captive dont ils ont besoin pour prospérer.

En général, les dépenses de transport bénéficient d'une demande porteuse. La périurbanisation accroît les distances moyennes pour se rendre au travail. Le succès de la grande distribution et corrélativement le déclin du commerce de voisinage, conduisent les ménages à allonger les distances moyennes à parcourir pour leur approvisionnement. Les départs en week-end et les excursions du samedi ou du dimanche se généralisent, expliquant en partie pourquoi la part des sorties et des loisirs augmente dans la mobilité quotidienne (au détriment de la mobilité domicile travail). Pour les vacances, s'il est vrai que le nombre des jours partis par an stagne, le nombre des séjours par personne et par an et donc le nombre de départs et de retours continuent de progresser. Globalement, si les gens ne passent pas plus de temps en transports, ils font plus de kilomètres ; grâce à une politique de développement des infrastructures (routières, mais aussi ferroviaires ou aéroportuaires), le monde rapetisse.

Une féminisation de l'usage de l'automobile

La demande favorise en premier l'automobile, en particulier le *véhicule d'occasion* qui est porté par une évolution des prix plus favorable que pour la voiture neuve, sauf aux périodes où l'État prend des

La société française contemporaine
Cahiers français n° 291

Modes de vie et consommation

mesures incitatives spécifiques. Certes la proportion des ménages équipés ne progresse qu'avec lenteur, de 62% en 1973 à 75% en 1994. Mais ceci ne doit pas masquer le fait que le nombre des véhicules a plus que doublé depuis 1973. Le parc de l'automobile, en effet, a crû parallèlement à la taille de la population des conducteurs. Or, au cours de cette période, cette population s'est étendue.

Les personnes âgées sont de moins en moins exclues de ce moyen de transport. Le pourcentage des ménages dont le chef a entre 60 et 69 ans et qui sont motorisés est passé de 57% en 1982 à 76% en 1994. Il s'agit d'abord d'un pur effet de génération, mais l'automobile a aussi bénéficié de l'amélioration de l'état de santé du troisième âge ainsi que de son enrichissement matériel, relativement plus rapide que celui des autres ménages plus jeunes.

L'essor du parc automobile est dû aussi à la féminisation de l'usage de ce moyen de transport. La proportion des femmes ayant le permis de conduire est passée de 47% en 1982 à 64% en 1994. Le multiéquipement automobile, en progressant de 27% à 34% des ménages dans la même période, profite aux femmes. Les distances parcourues comme conducteur d'un véhicule doublent chez les femmes actives entre 1982 et 1994 (elle n'augmente que de 50% chez les hommes actifs). La conduite automobile progresse encore plus vite chez les femmes au foyer. Cette féminisation de l'usage de l'automobile est liée à l'activité professionnelle des femmes mais aussi aux déplacements des enfants. La périurbanisation éloigne de l'école, pas tant de l'école primaire que du collège ou du lycée. Les enfants de 6 à 17 ans accomplissent en 1994 deux fois plus de kilomètres par jour qu'en 1982 en tant que passagers d'une voiture. La marche à pied (ou le trajet en vélo) recule en distance absolue parmi les jeunes générations.

Vacances plus fractionnées ; sorties plus élitistes

Voyages et vacances

Le nombre des voyages pour motifs personnels (départs en vacances et visites à la famille, ...) a augmenté des deux tiers entre 1982 et 1994, le voyage d'une journée progressant plus lentement que celui d'une à trois nuits et ce dernier, plus lentement que celui de quatre nuits et plus. La diffusion massive de l'automobile et l'augmentation du nombre des départs hors du domicile font évoluer les sorties en leur faisant perdre une partie de leur orientation culturelle. Les sorties se disent excursions et, par là-même, sont, sinon plus sportives, du moins davantage tournées vers des activités de plein air ; de fait, les collectivités locales ont aménagé des sites pour ces activités (piscine publique, tables de pique-nique, ...). Couplés avec la motorisation élevée des ménages, ces aménagements favorisent le développement des excursions journalières. Les *autres spectacles* connaissent ainsi un redémarrage en seconde période grâce aux parcs de loisir dont le succès s'affirme au début des années 90, ce qui leur permet d'échapper au recul général des spectacles.

Cette croissance des voyages personnels n'est pas signe d'une augmentation des départs en vacances, car, sauf pour les indépendants qui, dans la période, rattrapent en partie leur retard par rapport aux salariés, la fréquence des départs en vacances reste stable (35% des ménages déclarent encore devoir se priver de vacances hors du domicile pour des raisons pécuniaires, ce taux atteignant presque 80% parmi les ménages du premier décile de revenu). Mais les congés sont pris de façon de plus en plus fractionnée, accroissant ainsi la mobilité de loisir et la fréquence des départs au moment des week-ends. En conséquence, les *restaurants*, le *camping*, les *agences de voyage* et les *remontées mécaniques* progressent en volume malgré une évolution à la hausse des prix de ces services où la main-d'œuvre qualifiée revient cher.

Les Français et les loisirs

Si l'automobile accroît son hégémonie sur les sorties, la télévision prend davantage d'emprise sur les loisirs casaniers. En moyenne, un Français passe plus de 3 heures par jour devant la télé en 1993, temps qui n'a cessé d'augmenter au cours de la période. Les foyers de plusieurs personnes disposent, de plus en plus souvent, de plusieurs postes de télévision. Les téléspectateurs français, relativement peu équipés de magnétoscopes par rapport aux autres Européens en début de période, rattrapent leur retard. La vente de vidéocassettes enregistrées est en forte croissance depuis 1986, leur location en revanche stagnant depuis 1984. La part des vidéocassettes dans les dépenses des ménages en programmes audiovisuels qui était inférieure du tiers à celle du cinéma en 1982 est, en 1993, deux fois plus importante. L'abonnement aux chaînes câblées et surtout à Canal Plus en progressant a bouleversé la répartition moyenne des dépenses en programmes audiovisuels. En 1993, les ménages dépensent plus pour les abonnements que pour la redevance bien que l'audience des chaînes sur abonnement reste minoritaire. Câble, satellite, magnétoscope, multiéquipement en postes de télévision combinent leurs services pour permettre la diffusion d'émissions de mieux en mieux ciblées sur des populations plus spécifiques soit par les goûts soit par les contraintes horaires. Le besoin de vivre avec un fond sonore en permanence se généralise. Les commerces et les salles d'attente retransmettent les programmes de télévision et surtout les émissions de radio. Les *radios-combinés* s'intègrent désormais parmi les instruments attendus que doit comporter le tableau de bord de tout véhicule automobile. Le café, espace masculin où s'épanouissait une sociabilité populaire aussi bien chez les agriculteurs

La société
française
contemporaine
Cahiers français
n° 291

Modes de vie
et
consommation

66

que chez les ouvriers, et les sorties au spectacle souffrent de l'hégémonie de la télévision. Une évolution négative s'observe aussi pour les *livres* et pour les *instruments de musique*, qui tout comme le théâtre ou le concert, étaient au cœur des divertissements et de la sociabilité festive de la bourgeoisie cultivée. La fréquentation des salles de cinéma s'est effondrée en deux temps, correspondant à la diffusion de la télévision couleur dans les foyers puis à celle du magnétoscope. Les entrées au cinéma diminuent de moitié entre la fin des années 50 et le début des années 70. Elles se stabilisent jusqu'au milieu des années 80. La fréquentation des salles chute à nouveau du tiers et atteint son point le plus bas en 1993. Autrefois populaire, la sortie au cinéma attire un public plus cultivé : de jeunes fraîchement sortis de l'école (jeunes de 20-24 ans), de diplômés de l'enseignement supérieur et de personnes dont le milieu social est celui des cadres, professions libérales et entrepreneurs. Le profil sociodémographique de ce public se rapproche de celui des spectacles vivants (théâtre, opéra, concert, danse), dont la fréquentation décline tout comme celle du cinéma. La chasse, autre loisir dont la spécificité sociale était forte, est aussi en déclin. *Armes,* d'une part, et *munitions,* d'autre part, ont un volume qui baisse avec la diminution continue de la population des agriculteurs. La *caravane,* adoptée par l'élite ouvrière – notamment les contremaîtres – est aussi un bien dont le volume décline car, moins maniable que le camping-car pour les vacances itinérantes, elle est aussi moins confortable que les gîtes ruraux ou les villages de vacances.

Nicolas Herpin,
Daniel Verger

Bibliographie

Rochefort Robert, *La société des consommateurs*, Paris, Odile Jacob, 1995.

Les références bibliographiques détaillées et les tableaux tirés de l'exploitation des séries de Comptabilité nationale sont publiés dans :

Herpin Nicolas et Verger Daniel :

- « Modes de vie et consommation », *Données sociales 1999*, Paris, INSEE, 1999 ;

- « Consommation : un lent bouleversement de 1979 à 1997 », *Économie et statististique*, juin 1999, INSEE.

Participation et actions politiques

La société française contemporaine
Cahiers français
n° 291

Participation et actions politiques

68

Comment ont évolué les comportements politiques des Français ces dernières années ? L'affaiblissement de la participation électorale n'indique-t-il pas notamment une certaine « dépolitisation » ? Pour Claude Dargent, les comportements politiques doivent être compris comme l'ensemble des interventions dans la sphère publique ; ils ne réduisent pas au vote ou à l'appartenance partisane. Dès lors, si l'on observe bien une moindre participation aux élections, celle-ci renvoyant aux évolutions structurelles de la société française (exclusion, urbanisation), on observe en revanche une extension des formes d'action collective dont les caractéristiques montrent qu'il n'y a pas de véritable désengagement des Français à l'égard de la politique.

C. F.

A l'intérieur du vaste ensemble que forment les comportements sociaux, l'évolution des formes d'action politique suscite des analyses contradictoires. La raison en est simple : elle tient aux controverses portant sur le rapport des citoyens au pouvoir politique aujourd'hui.

D'un côté, les médias véhiculent volontiers l'idée d'un repli des Français sur leur vie privée. Le développement de l'abstentionnisme, le déclin du militantisme partisan et syndical, la baisse du nombre de journées de grèves refléteraient ce désinvestissement à l'égard de la sphère publique, sur fond de montée de l'individualisme. Au plan scientifique, les travaux d'Olson ont d'ailleurs proposé d'expliquer, via la stratégie de « ticket gratuit », pourquoi un intérêt collectif ne suffisait pas à susciter une action collective. Et plus généralement, la thèse d'une crise de confiance des citoyens par rapport au système démocratique est régulièrement avancée (1).

Mais contradictoirement, un certain nombre de travaux soulignent à l'opposé que des comportements qualifiés de protestataires ont tendance à se développer. Ils rangent notamment dans cette catégorie des formes d'action comme les grèves, les manifestations, les occupations, les pétitions.

Le problème qui nous est posé est alors le suivant : assiste-t-on à un recul d'ensemble des activités politiques sur la période récente dans l'exemple français ? Ou bien ce mouvement ne s'observe-t-il que pour la seule participation électorale ? Et assiste-t-on – éventuellement en contrepartie – à un essor de l'action collective ou bien à son repli ?

La participation électorale : érosion et variations sociales

Un certain nombre d'explications sont disponibles pour rendre compte d'un déclin de la participation aux élections. Par exemple l'existence d'un discrédit dont pâtirait le monde politique aux yeux des Français peut en effet expliquer un désinvestissement de la scène électorale. D'autant que l'histoire politique récente, en faisant se succéder des gouvernements de droite et de gauche à un rythme élevé, a fait sentir les limites de leur opposition. Le thème de la « pensée unique » prétend d'ailleurs opérationaliser l'absence de différence entre ces deux camps. Voilà qui peut être de nature à éloigner les citoyens des urnes : un électeur qui pense que la politique suivie sera peu différente quel que soit le vainqueur n'est guère incité à aller voter. Mais dans quelle mesure constate-t-on une telle évolution (2) ? Et quels sont au juste les facteurs sociaux de l'abstentionnisme ?

Le poids du contexte politique

La nature du scrutin

L'analyse de l'abstention requiert d'abord la prise en considération des conditions proprement politiques du scrutin étudié (3). Toutes les élections ne sont pas également mobilisatrices. Celles dont le corps électoral considère – à tort ou à raison – que l'impact politique est faible entraînent systématiquement une abstention

(1) C'est sur cette thèse que s'interrogent Hans-Dieter Klingemann, Dieter Fuchs (dir.), *Citizens and the state,* Oxford, Oxford University, 1995.
(2) Pour une discussion générale, voir Élisabeth Dupoirier, Gérard Grunberg, « La participation dans tous ses états », dans Philippe Habert, Pascal Perrineau, Colette Ysmal (dir.), *Le vote éclaté. Les élections régionales et cantonales des 22 et 29 mars 1992*, Paris, Département d'études politiques et Presses de Sciences Po, 1992.
(3) Jean Chiche, Élisabeth Dupoirier, Gérard Grunberg, « L'évolution de la participation électorale dans la période récente », *L'engagement politique : déclin ou mutation*, actes du colloque, CEVIPOF, 1993, pp. 203-232 ; Jean Chiche, Élisabeth Dupoirier, « L'abstention aux élections législatives de 1997 », dans Pascal Perrineau, Colette Ysmal (dir.), *Le vote surprise*, Paris, Presses de Sciences Po, 1998.

plus forte. C'est le cas au premier chef des scrutins européens (entre 39 et 51% d'abstention sous la Ve République) et des élections cantonales dont l'enjeu départemental est mal perçu et obscurci par un renouvellement par moitié (entre 30 et 47%). Les élections régionales (entre 22 et 42%) (4), municipales (entre 21 et 31%) et législatives (de 17 à 34%) sont en position intermédiaire. On peut leur rattacher les référendums, où l'abstention est très variable de 15 à 63% et fonction de l'enjeu prêté au scrutin. En revanche, les élections présidentielles déclenchent toujours une abstention plus faible (de 15 à 22% au premier tour, et de 14 à 20% au second, si on met à part l'élection de 1969, où la gauche était éliminée du duel final).

On le voit, la participation est fortement influencée par l'impact direct que les électeurs prêtent au résultat du scrutin étudié (5). Le rang de l'élection dans l'année, ses circonstances (à la suite d'une dissolution visant à valider les résultats d'une présidentielle par exemple) jouent également. Néanmoins, même en tenant compte de ces facteurs, il semble bien que l'abstention ait augmenté dans les années 90. Faut-il y voir le symptôme d'un « malaise démocratique » (6) ?

Un nouveau réalisme politique

Incontestablement, les nouvelles conditions politiques de la France peuvent contribuer à augmenter l'abstention. La confrontation de la gauche aux contraintes de l'exercice du pouvoir a ainsi montré les limites du changement auquel le pouvoir politique peut espérer parvenir. L'incapacité des gouvernants de droite comme de gauche à faire reculer jusqu'à présent de manière sensible le chômage massif – que les Français placent systématiquement comme enjeu majeur dans les enquêtes d'opinion – a probablement éloigné des urnes une fraction de la population.
Pour autant, les Français sont loin d'adhérer massivement au thème de la « pensée unique ». Le fait qu'ils continuent majoritairement à se situer sur l'échelle gauche-droite montre bien que cette distinction est loin d'être pour eux obsolète. Et, au-delà de la succession des alternances, les analyses portant sur le segment électoral critique qui fait pencher la balance des suffrages à gauche ou à droite soulignent la faible proportion des électeurs réellement « volatils », montrant ainsi que le débat politique entre les deux camps reste porteur de sens pour la majorité des Français.
Il reste qu'on est bien en face d'une prise de conscience des limites de l'action publique, qui, loin de pouvoir décider souverainement de la situation économique et sociale, ne semble plus pouvoir prétendre qu'à la corriger. Même si on considère que ce réalisme met le politique à la place qu'il peut légitimement prétendre occuper, il est clair que c'est aussi un facteur de moindre survalorisation de cette instance dans les sociétés modernes. Toutes choses égales par ailleurs, cette évolution ne joue pas en faveur de la participation électorale. Faut-il aller plus loin et mettre alors en cause un processus de déconsidération qui atteindrait l'ensem-

ble de la classe politique et traduirait une rupture majeure entre les citoyens et leurs représentants ? Ce serait faire montre d'une perspective historique de bien court terme. Car les scandales et les contentieux entre les Français et leur classe politique ne sont pas nouveaux. Qu'on se souvienne du trafic des décorations sous Jules Grévy, du scandale de Panama, de l'affaire Stavisky par exemple... L'analyse des quelques points supplémentaires d'abstention qu'on semble constater sur la période récente requiert donc une grande prudence : n'est-on pas là en face d'une évolution politique conjoncturelle, qu'il faut se garder de considérer comme le symptôme d'un irrémédiable déclin de la participation électorale ?
C'est dire qu'un diagnostic pertinent exige un approfondissement de l'analyse de l'abstention en France, en passant du point de vue diachronique à l'angle synchronique.

Les facteurs sociaux de l'abstentionnisme

On dispose désormais d'un certain nombre d'études sur les facteurs sociaux de l'abstentionnisme (7). Elles montrent que les différences imputables au sexe ne sont plus aujourd'hui significatives. La participation des femmes s'est élevée en même temps que leur activité professionnelle salariée à partir des années 60, pour effacer l'essentiel des différences qui les séparaient des hommes (tableau 1).
La plupart les études s'accordent en revanche à reconnaître le rôle de l'âge. Après une participation forte aux lendemains immédiats de l'inscription sur les listes électorales, les jeunes témoignent très vite d'une participation faible. Celle-ci s'élève ensuit régulièrement avec l'âge, pour atteindre son maximum avec la soixantaine et décroître ensuite.
La taille de la commune de résidence a également un impact incontestable. Les villes et les agglomérations votent beaucoup moins que les campagnes.
Le rôle du diplôme est davantage controversé. Au vu des données issues d'enquêtes sur échantillon qui reconstituent les votes d'après les déclarations des personnes interrogées (CEVIPOF en 1995, OIP en 1998), cette variable n'influe pas de façon claire sur l'abstention. En revanche, l'enquête sur la participation électorale menée par l'INSEE fait du diplôme la

(4) Sur le dernier scrutin régional, voir Élisabeth Dupoirier, « Les élections régionales de mars 1998 ou l'introuvable espace public régional », dans Pascal Perrineau, Dominique Reynié (dir.), *Le vote incertain. Les élections régionales de 1998*, Paris, Presses de Sciences Po, 1999.
(5) Sur le caractère volontaire de l'abstention, voir Françoise Subileau, Marie-France Toinet, *Les chemins de l'abstention*, Paris, La Découverte, 1993.
(6) Pascal Perrineau, « Le premier tour des élections législatives de 1997 », *Revue française de science politique*, 47(3-4), juin 1997, p. 405.
(7) Daniel Boy, Nonna Mayer, « Les formes de la participation », dans Daniel Boy, Nonna Mayer (dir.), *L'électeur a ses raisons*, Paris, Presses de Sciences Po, 1997, pp. 25-65 ; François Héran, « Les intermittences du vote », *INSEE-Première*, septembre 1997, n°546 ; Nonna Mayer, Annick Percheron, « Les absents du jeu électoral », dans *Données sociales 1990*, pp. 398-401.

1. Taux d'abstention aux élections régionales de 1998
(En %)

Sexe		Catégorie socioprofesionnelle	
Hommes	29	Agriculteurs	21
Femmes	28	Commerçants, artisans	28
Age		Cadres, professions libérales	24
18-24 ans	44	Professions intermédiaires	24
25-34 ans	43	Employés	30
35-44 ans	30	Ouvriers	32
45-54 ans	22	**Statut professionnel**	
55-64 ans	18	Indépendants	31
65-74 ans	15	Salariés CDI	31
75 ans et plus	20	Salariés emploi précaire	37
Taille de l'agglomération		Chômeurs	44
- 2 000 habitants	23	**Religion**	
2 000 à 20 000 habitants	27	Catholiques pratiquants réguliers	15
20 000 à 100 000 habitants	30	Catholiques pratiquants occasionnels	26
100 000 et +	31	Catholiques non pratiquants	34
Agglomération parisienne	37	Sans religion	36
Diplôme		**Échelle gauche-droite**	
Enseignement primaire	24	Gauche	19
BEPC, BEP, CAP	29	Centre gauche	22
Bac	31	Centre	29
Bac + 2	32	Centre droit	25
Études supérieures	29	Droite	22
		Ni droite ni gauche	43
		Sans réponse	29

Source : Enquêtes OIP/Conseils régionaux, septembre 1998.

La société française contemporaine
Cahiers français
n° 291

Participation
et actions
politiques

70

positions centristes, et *a fortiori* le refus du positionnement sur cette échelle éloignent des urnes. De même, la pratique catholique pousse à la participation. Et il en va de même, dans un tout autre ordre, d'un revenu élevé.

Comprendre l'abstention

On peut alors confronter ces données aux deux théories cherchant rendre compte de l'abstentionnisme : celle qui en fait une fonction de l'intégration sociale (9) et celle qui l'analyse comme un symptôme des rapports de domination, suscitant dans les fractions dominées un sentiment d'incompétence politique (10) qui écarte de la participation à l'élection.

Partons d'un constat simple : la probabilité statistique que le vote d'un individu déterminé soit décisif dans la compétition électorale est extrêmement faible. Surtout, les électeurs ont parfaitement conscience de cet état de fait. Et pourtant, ils restent très nombreux à aller voter : c'est le fameux paradoxe de l'électeur, qui n'existe d'ailleurs, comme le paradoxe de Léontieff, que si l'on adopte la grille de lecture empruntée aux économistes néoclassiques. Voilà qui indique bien que le vote est aujourd'hui un acte dont la gratification est largement symbolique. Si les électeurs prennent la peine de se déplacer, c'est parce qu'ils sont en France très attachés au vote, qui continue à symboliser pour eux le transfert du pouvoir politique des privilégiés de l'Ancien Régime au peuple tout entier – sans que ces électeurs se fassent d'illusion sur le caractère décisif de leur vote individuel.

Mais le passage de ce modèle de représentation à un comportement effectif, avec le coût que ce comportement implique, est néanmoins fonction de deux ou trois variables.

Le rôle de la densité des relations sociales

En premier lieu, même symbolique, cette gratification que représente la participation au choix des dirigeants politiques est d'autant plus encouragée que le lien entre l'individu et la société globale lui apparaît fort. Or, ce sentiment de « participation sociale » semble bien passer par la densité des relations sociales quotidiennes. Voilà qui contribue à expliquer que les grandes agglomérations votent moins que les petites villes, et celles-ci moins que les villages. Et que les adultes isolés votent moins que les personnes vivant en couple : on retrouve là les premiers travaux durkheimiens sur le rôle intégrateur de la famille.

Il faut noter que cette densité des relations sociales

variable la plus discriminante : plus il est élevé, plus l'abstention est faible. Sur ce point, parce que l'INSEE se fonde sur les comportements effectifs issus du dépouillement des registres électoraux, on peut penser que ses résultats sont plus fiables (8). A l'occasion d'une enquête d'opinion, il serait alors plus difficile de reconnaître qu'on n'a pas participé au vote dans les catégories à faible capital scolaire que dans les autres – d'où l'occultation des différences apparentes quand les données sont recueillies de cette manière.

L'ensemble des analyses se rejoignent cependant pour relever que la précarité de l'emploi éloigne des urnes (chômage, contrats temporaires…). Elles s'accordent également pour souligner que les couches salariées populaires (ouvriers, employés) sont les plus abstentionnistes, à l'opposé des salariés des couches supérieures et moyennes (particulièrement des enseignants) ainsi que des agriculteurs.

Au-delà de ces variables socio-démographiques, les enquêtes d'opinion présentent l'avantage de recueillir des indications supplémentaires qui s'avèrent précieuses. Ainsi, l'autopositionnement sur l'échelle gauche-droite se révèle également très prédictif : les

(8) Même s'ils souffrent par ailleurs sur certaines variables du décalage chronologique entre le recueil des données au dernier recensement et la participation électorale qu'on cherche à expliquer – ainsi d'ailleurs que d'un nombre élevé de sans réponse pour le diplôme.

(9) Alain Lancelot, *L'abstentionnisme électoral en France*, Paris, Presses de Sciences Po, 1968.

(10) Pierre Bourdieu, « Questions de politique », *Actes de la Recherche en Sciences Sociales*, 1977 ; Daniel Gaxie, *Le cens caché*, Paris, Le Seuil, 1992 (1978).

est favorisée par la stabilité dans les différentes dimensions de la position sociale occupée. Voilà qui peut permettre d'expliquer que les chômeurs et les travailleurs précaires soient plus abstentionnistes que les titulaires d'un contrat de travail à durée déterminée. Et que les propriétaires, qui témoignent d'une plus grande stabilité résidentielle, participent plus fréquemment aux élections que les locataires.

De même, l'influence de la variable religieuse joue bien par l'intermédiaire des relations sociales que crée l'appartenance effective à l'Église catholique : si les pratiquants, surtout réguliers, votent plus, le fait d'être catholique non pratiquant ou sans religion ne change presque rien.

Et peut-être, au-delà de ces attributs **objectifs** de relations sociales faut-il tenir compte aussi de la perception **subjective** du continuum social. Sous cet angle, on peut expliquer qu'une instruction plus poussée développe cette aptitude à sortir de son isolement individuel et à mieux prendre conscience de tout ce qui relie chacun à la société globale.

L'importance du statut socio-économique

En deuxième lieu, il faut souligner que s'offrir cette gratification symbolique qu'occasionne le vote est tout de même un luxe. Il est alors explicable que les Français à revenu faible et/ou socialement défavorisés (ouvriers, employés) en soient plus fréquemment écartés. Dans leur cas, les préoccupations plus immédiatement utilitaristes ont plus de chance en effet de l'emporter : le temps contraint est pour eux plus élevé.

On retrouve également à ce stade de l'analyse les effets de situations déjà envisagées : chômage et précarité de l'emploi, location du logement, diplôme faible peuvent être à la fois des indicateurs de faiblesse des relations sociales et d'un statut socio-économique défavorisé – car les handicaps économiques et sociaux affectent fréquemment l'insertion sociale.

Le rapport à la politique

Enfin, la question du rapport à l'État et plus généralement au pouvoir politique semble bien intervenir. Certains milieux sociaux sont en effet davantage immédiatement dépendants que d'autres des décisions publiques, ce qui est une incitation supplémentaire au vote. C'est ainsi qu'on peut proposer d'expliquer la participation plus élevée des fonctionnaires – ainsi que dans un autre ordre des agriculteurs, dont on sait combien les revenus sont aujourd'hui fonction de prix décidés très largement par les pouvoirs publics.

Par ailleurs, l'éloignement du jeu politique que traduit le refus de positionnement sur l'échelle gauche-droite écarte logiquement du vote, tandis que les positions clairement affirmées – de droite comme de gauche – en rapprochent. Voilà qui peut aussi aider à comprendre pourquoi les milieux populaires, davantage éloignés de la politique et de ses catégories, participent moins fréquemment aux votes.

Ces conclusions amènent à apprécier une nouvelle fois

avec prudence le recul de la participation électorale qu'on semble constater sur la période récente. Au-delà des conditions proprement politiques, il faut souligner qu'un certain nombre d'évolutions structurelles de la population française poussent à la progression de l'abstention, toutes choses égales par ailleurs. C'est le cas notamment de la montée des emplois précaires, du chômage et de l'exclusion, ainsi que de l'urbanisation, et du déclin des agriculteurs. Certes, l'élévation du niveau de diplôme, si ses effets sur la participation sont confirmés, joue en sens contraire. Toutefois, il se peut qu'elle ne suffise pas à compenser les évolutions qu'on vient de souligner. On aurait donc là un facteur structurel de croissance de l'abstention sur la période récente qui ne renvoie en rien à un processus autonome de dépolitisation.

Mais dans quelle mesure cet affaiblissement, même modeste, de la participation électorale est-il également observable pour les autres formes d'action politique ?

Le virage historique de l'action collective

Le vote et les autres comportements politiques

A côté du vote, la science politique a tardivement reconnu l'existence de comportements politiques d'un autre ordre. Réuni à d'autres pratiques liées au processus électoral, le vote a alors été intégré à ce qui a été qualifié de participation politique conventionnelle, tandis que les autres comportements étaient baptisés : participation non-conventionnelle (11).

Ces termes ne sont pas heureux. En premier lieu, cette qualification est elle-même conventionnelle dans un des deux sens du mot, car elle traduit une vison certes répandue mais tout de même bien conformiste de l'action politique ; dans certains milieux sociaux, chez les ouvriers ou les enseignants en particulier, le recours à la grève et la manifestation sont ou étaient des pratiques récurrentes, tout à fait habituelles et donc, du point de vue des acteurs concernés, tout aussi conventionnelles que le vote.

D'autre part, le terme générique de participation politique renvoie à une offre à laquelle les Français sont invités à répondre. Cela correspond d'un certain point de vue au processus électoral. Mais, si les professionnels de la politique ont besoin de l'élection pour légitimer leur position dans un système de représentation démocratique, qui invite à la manifestation, à la grève ? Certainement pas les pouvoirs publics, ni les patrons, cibles de l'action envisagée, alors que c'est le processus de décision dont ils ont la responsabilité qui est là encore visé. On ne peut donc pas dans ce second cas parler de **participation** politi-

(11) Samuel H. Barnes, Max Kaase (dir.), *Political Action*, Londres, Sage, 1979.

que, même non-conventionnelle, puisque cette action n'est pas sollicitée, loin s'en faut, par ceux qui sont en charge de la décision – et qui préféreraient bien au contraire se passer de cette contrainte dans leur processus de prise de décision…

Des comportements protestataires à l'action collective

Protestation et immixtion dans le processus de décision

Faut-il alors parler plutôt de comportement protestataire ? Ce terme permet d'échapper à certaines objections. Mais il présente un autre défaut majeur : celui de ne pas tracer une frontière pertinente avec le comportement électoral. Le vote Front national ou d'extrême-gauche aujourd'hui, ou communiste dans les années 60 ne sont-ils pas eux aussi des comportements politiques protestataires ?

D'autre part, les comportements relevant de cette catégorie ne traduisent pas toujours une protestation, mais parfois au contraire un soutien. En témoignent les manifestations d'approbation et de solidarité avec tel ou tel aspect de la politique du gouvernement en place : bien que peut-être moins fréquentes, elles n'en sont pas moins récurrentes. D'ailleurs, le terme de comportement protestataire est sous-tendu par l'idée d'une remise en cause de l'ordre social et politique. Or, certaines manifestations traduisent au contraire la volonté d'une conservation en l'état de cet ordre : ainsi, des manifestations contre le Pacte civil de solidarité (PACS) et naguère les centaines de milliers de personnes rassemblées pour exprimer un soutien à l'école privée supposée menacée.

L'originalité de cette deuxième forme d'activité politique est donc moins la protestation que la volonté d'immixtion dans le processus de prise de décision tel que le conçoit la démocratie représentative, dans le but d'orienter voire d'inverser son résultat prévisible, compte tenu de l'équilibre politique tel qu'il est sorti des urnes et de l'action parallèle d'autres groupes d'intérêts. Pour ces différentes raisons, on préférera utiliser ici le terme d'**action collective** en usage dans la sociologie des mouvements sociaux pour désigner ces comportements.

Le caractère de l'action collective

L'épithète de collectif leur convient bien. La caractéristique de cette forme d'action, c'est quelle se réalise en groupe, à la différence du vote, qui est un acte présumé individuel, comme le montrent les dispositions du code électoral sur son caractère personnel (12).

On pourrait préciser en outre qu'on s'intéresse ici aux seules formes **politiques** de l'action collective. Mais il s'avère que les échelles mesurant l'approbation ou l'engagement dans ce type d'activité incluent des comportements qui ne sont pas politiques dans la définition usuelle de ce terme. La grève contre tel ou tel patron liée à un différend sur un plan de licenciement ou sur l'évolution des salaires n'est pas directement un comportement politique, en tout cas au sens étroit du terme, ni au même degré qu'un vote ou une manifestation contre une mesure de politique publique. Dans ce domaine, la distinction entre politique et social est cependant bien malaisée : moins encore que dans d'autres registres, le politique ne peut être ici aisément différencié du reste du social, et doit donc être étudié en même temps que lui.

Les formes d'action collective sont nombreuses : pétition, manifestation, sit-in, blocage du trafic routier ou ferroviaire, boycott, occupation des locaux privés ou publics, grèves, séquestration d'employeurs ou de personnes publics, refus de payer l'impôt, etc. On le constate, certaines d'entre elles sont légales, d'autres ne le sont pas. Certaines sont pacifiques, d'autres expriment une forme de violence. Ce qui n'empêche pas que le recours à ces différentes formes d'action collective relève, dans l'ensemble, du même modèle explicatif.

L'absence d'un désengagement plublic des Français

Il s'avère en effet que l'acceptation de ces diverses formes d'action collective a tendance à croître sur la période récente dans les pays développés (13). Les enquêtes du CEVIPOF relèvent la même évolution pour la France de 1988 à 1995 (14).

Ce résultat contredit formellement la thèse d'un désengagement public des Français, volontiers rattaché à un individualisme croissant. Il semble contradictoire avec la baisse du recours à la grève, l'envolée de l'automne 1995 précédant un « retour à la normale » qui semble opérer dès l'année 1996 (15). Ce moindre recours à la grève est d'ailleurs général dans les différents pays européens, où le taux de journées perdues a été divisé par plus de trois entre la fin des années 70 et le début des années 80 (16).

Il reste que paradoxalement les enquêtes établissent que cette pratique est de plus en plus acceptée aujourd'hui, même si elle est moins utilisée. Au demeurant, le recours aux manifestations est de son côté beaucoup plus fréquent. Probablement faut-il voir là les effets d'un déplacement des conflits du monde de l'entreprise vers d'autres questions socio-politiques, et de l'ordre matériel vers le registre symbolique –

(12) Par opposition à l'épisode raconté dans les *Souvenirs* de Tocqueville où l'ensemble du village se déplaçait sous la houlette du châtelain pour aller voter en 1848, exprimant une conception du vote qui apparaît aujourd'hui comme archaïque.
(13) Richard Topf, « Beyond Electoral Participation », dans Hans-Dieter Klingemann, Dieter Fuchs, *op. cit.*
(14) Daniel Boy, Nonna Mayer, *art. cit.*,
(15) *Premières synthèses*, n°98.1, 1998.
(16) Maximos Aligisakis, « Typologie et évolution des conflits du travail en Europe occidentale », *Revue internationale du travail*, 1997-1, p. 89.

La société française contemporaine
Cahiers français n° 291

Participation et actions politiques

même s'il s'agit davantage d'un élargissement de la sphère des conflits que d'une substitution d'un point d'application à un autre. A cette importante réserve près, on vérifierait bien ici les effets du changement social sous la forme du passage de la société industrielle à ce que Daniel Bell et Alain Touraine ont baptisé société postindustrielle.

Les facteurs sociaux de l'action collective

L'implication des milieux sociaux privilégiés

Qui sont les Français qui se livrent le plus volontiers aux actions collectives ? Contrairement à ce qu'on pourrait penser d'emblée, ce sont les couches salariées moyennes et supérieures et les milieux diplômés qui recourent aujourd'hui le plus volontiers à la manifestation (tableau 2).

2. Participation récente à une manifestation au moins
(En %)

Catégorie socioprofessionnelle	
Agriculteurs	21
Commerçants, artisans	6
Cadres, professions libérales	26
Professions intermédiaires	21
Employés	12
Ouvriers	14
Diplôme	
Enseignement primaire	7
BEPC, BEP, CAP	16
Bac	25
Bac + 2	31
Études supérieures	38

Source : enquête CEVIPOF 1995.

D'une façon générale, l'acceptation des formes d'action collective est aujourd'hui davantage le fait des milieux socialement privilégié. A partir de l'indicateur du « potentiel protestataire » proposé par S. H. Barnes et M. Kaase dans *Political Action*, Daniel Boy et Nonna Mayer utilisent l'attitude face à cinq pratiques qui se révèlent former une échelle. De l'acceptation la plus à la moins fréquente, on trouve la participation à une grève, à une manifestation, l'occupation d'un bâtiment administratif, la peinture de slogans sur les murs et la provocation de dégâts

matériels. Or les Français qui approuvent deux au moins de ces pratiques sont aujourd'hui plutôt des privilégiés (tableau 3).

3. Les activistes potentiels en 1995
(En %)

Sexe		Catégorie socioprofessionnelle	
Hommes	68	Agriculteurs	49
Femmes	60	Commerçants, artisans	40
Age		Cadres, professions libérales	74
18-24 ans	85	Professions intermédiaires	70
25-39 ans	76	Employés	63
40-64 ans	60	Ouvriers	63
65 ans et +	37	**Échelle gauche-droite**	
Diplôme		1, 2	81
Enseignement primaire	46	3	80
BEPC, BEP, CAP	65	4	62
Bac	25	5	65
Bac + 2	80	6, 7	43
Études supérieures	83		

Source : Enquête CEVIPOF 1995.

Cette observation est évidemment contradictoire avec ce que l'histoire sociale française pouvait laisser attendre. Malgré leur diversité, les manifestations de l'entre-deux-guerres sont fréquemment liées à des grèves et rassemblent d'abord des ouvriers. Il en va de même de l'après-Seconde Guerre mondiale, compte tenu du poids du parti communiste dans l'organisation de ces actions collectives (17). Le virage semble donc dater des années 60. Peut-être mai 1968 constitue-t-il la césure en France. En tout cas, la composition sociale de ceux qui ont manifesté à cette occasion telle qu'on a pu la reconstituer de manière rétrospective renvoie davantage à l'action collective d'aujourd'hui et qu'à celle d'hier (tableau 4).

4. Participation à des réunions, manifestations ou grèves en mai 68
(En %)

Catégorie socioprofessionnelle	Oui	Non	NSP, trop jeune, pas concerné
Agriculteurs	5	75	20
Commerçants, artisans	9	67	24
Cadres, professions libérales	23	44	32
Professions intermédiaires	28	43	29
Employés	6	44	49
Ouvriers	14	41	46

Source : Enquêtes OIP/Conseils régionaux 1989.

(17) Danielle Tartakowsky, *Les manifestations de rue en France 1918-1968*, Paris, Publications de la Sorbonne, 1997.

Ce résultat s'éclaire si on remarque que c'est à partir des années 60 que se développent diverses luttes sociales : mouvement des noirs aux États-Unis, mouvement des étudiants, campagnes pacifistes, luttes féministes, mouvements écologistes, régionalistes... Ces conflits sociaux apparaissent d'une autre nature que les luttes sociales dominantes dans l'après-guerre, marquées par les conflits du travail et la lutte des classes. En particulier, comme le remarquent alors Alain Touraine et son équipe, ces nouveaux conflits ne concernent plus la production et l'économie. Ils portent sur des valeurs, sur la culture et les pratiques sociales qui lui sont associées.

L'émergence d'enjeux qualitatifs

Sur ce dernier point, on rejoint le résultat des travaux de R. Inglehart. Pour cet auteur en effet, l'élévation du niveau de vie liée au développement économique conduit à un changement culturel dans les nouvelles générations, plus diplômées. Il observe une nette tendance au recul de l'attachement à l'amélioration des moyens de subsistance et à la sécurité dans différents pays développés ou en voie de développement ; ces valeurs « matérialistes » seraient remplacés par d'autres objectifs, dits post-matérialistes, liés à l'épanouissement de la personnalité, ce qui se marquerait notamment par des revendications touchant à l'approfondissement de la démocratie – d'ou un recours plus fréquent à l'action collective. Cela explique que ce type de comportement soit le fait de milieux sociaux plus privilégiés que défavorisés. Globalement, l'action collective mobilise aujourd'hui d'abord des générations jeunes, portées à gauche, et adhérant à cette nouvelle échelle de valeurs.

Bien sûr, les revendications matérialistes n'ont pas disparu – elles restent même très fréquentes aujourd'hui – et les milieux populaires n'ont pas cessé de manifester (18). Mais il faut par ailleurs reconnaître l'émergence dans le dernier tiers du siècle d'autres formes d'action collective, où les catégories sociales privilégiées sont très présentes, et les enjeux plus qualitatifs.

L'action collective et le vote : alternative ou complémentarité ?

On pourrait penser que les Français qui usent volontiers de l'action collective sont ceux qui se sont détournés de la participation électorale. Il est essentiel de constater qu'il n'en est rien : ceux qui recourent à l'action collective et ceux qui s'y refusent participent tout autant aux élections. On n'a donc pas d'un côté les tenants de la démocratie directe, et de l'autre ceux de la démocratie représentative. Mieux : 82% de ceux qui approuvent au moins trois types d'action collective (les « activistes ») pensent que voter aux élections est

nécessaire pour se faire entendre, contre 78% chez les non-activistes. Cette différence croît d'ailleurs avec le niveau de diplôme.

En second lieu, les activistes émettent un jugement plus positif que les autres sur le fonctionnement de la démocratie : 55% pensent qu'elle fonctionne très bien ou assez bien, contre 51% des non-activistes. Il n'y a là un paradoxe que si on limite la démocratie à sa dimension représentative. Si on l'élargit aux effets de l'intervention des Français sur la conduite des affaires publiques, la contradiction tombe : dans ce cas, l'action collective est une indication qui intervient dans la prise de décision, pour la rapprocher des vœux des manifestants.

En revanche, les activistes sont plus sceptiques sur l'intérêt que les hommes politiques leur portent : 74% d'entre eux pensent qu'ils se préoccupent peu ou pas du tout de gens comme eux, contre 68% des non-activistes.

On a donc tendanciellement deux modèles : un modèle de retrait de non-activistes, davantage sceptiques sur l'efficacité des élections et critiques sur la démocratie, et un modèle interventionniste des activistes, nourrissant moins d'illusions que les premiers sur l'intérêt que les hommes politiques leur portent, mais émettant une appréciation plus positive sur la démocratie, y compris dans les conséquences induites par les élections. Y participer fait donc a leurs yeux partie du répertoire sinon de l'action collective, en tout cas de l'action politique.

Au bout du compte, on est loin d'un constat de dépolitisation (19). Si les Français participent un peu moins aux élections sur la période récente, c'est sûrement pour des raisons conjoncturelles, mais aussi, voire d'abord, parce que l'évolution de leur composition sociale les éloigne des urnes : l'exclusion socio-économique et l'urbanisation handicapent la participation.

En revanche, les Français approuvent de plus en plus l'intervention directe dans le processus de décision politique par l'intermédiaire notamment des manifestations. Ces Français-là, sans abandonner pour autant l'exercice de leur droit de vote, tiennent à s'exprimer, question par question, sur les décisions de politique publique qui les concernent. C'est donc davantage à une mutation qu'à un désaveu récent que semble aujourd'hui confrontée la démocratie en France.

Claude Dargent,
Chargé de recherche au CNRS,
Observatoire Interrégional du Politique

(18) Olivier Filleule, *Stratégies de la rue*, Paris , Presses de Sciences Po, 1997 ; Pierre Favre, Olivier Filleule, Nonna Mayer, « La fin d'une étrange lacune de la sociologie des mobilisations », *Revue française de science politique*, 47(1), fév. 1997, pp. 3-28.
(19) Du reste, la France se situe en matière de participation électorale dans la moyenne des démocraties occidentales ; Max Kaase, Kenneth Newton, *Beliefs in Government*, Oxford, Oxford University Press, 1995.

La société française contemporaine
Cahiers français
n° 291

Participation
et actions
politiques

74

Population

De 1996 à 1997 les nombres de naissances, mariages, décès ont très peu varié. Cette stabilité justifie de prendre quelque recul et de consacrer cette chronique à l'évolution à moyen terme de la pyramide des âges. Sont ainsi mises en évidence la baisse du nombre de jeunes, la hausse du nombre de personnes âgées et, pour les adultes, le recul du nombre de couples mariés.

Baisse du nombre de jeunes

L'INSEE estime **la population de la France métropolitaine** à 58,723 millions d'habitants au 1er janvier 1998, 231 000 de plus qu'un an plus tôt et 2,756 millions de plus que dix ans plus tôt. Le nombre des jeunes de **moins de 20 ans** – 15,142 millions – baisse, lui, de 18 200 en un an et de 711 000 en dix ans (tableau 1). Il était passé par un maximum de 16,942 millions au 1er janvier 1974. La baisse est donc de 1,8 million en 24 ans. Pendant ce temps, l'effectif de la population âgée de 20 ans ou plus a augmenté de 8,1 millions de personnes et celui de la population totale de 6,3 millions.

La diminution de 18 200 de l'effectif des moins de 20 ans en un an est relativement faible par rapport à la baisse moyenne antérieure. La variation du nombre des moins de 20 ans dépend surtout, chaque année, de la différence entre le nombre de personnes qui entrent dans ce groupe d'âges, c'est-à-dire les nouveau-nés de l'année, et le nombre de personnes qui en sortent, parce qu'elles atteignent l'âge de 20 ans (1). La diminution observée en 1997 est à rapprocher de la différence entre le nombre de naissances en 1997 (725 000) et celui observé vingt ans plus tôt, en 1977 (745 000). Il eût donc suffi de 745 000 naissances en 1997, soit seulement 10 000 naissances *de plus* qu'en 1996, pour que l'effectif des moins de 20 ans cesse de diminuer. Il en faudrait de même 737 000 en 1998 puis 757 000 en 1999 et... 800 000 de 2000 à 2002, puisqu'il y eut une hausse éphémère du nombre de naissances jusqu'à ce niveau de 1980 à 1982.

Ces chiffres supposeraient une reprise de la fécondité que rien n'annonce. En 1997, **l'indice conjoncturel de la fécondité** est estimé à 1,71 enfant par femme, niveau quasiment égal à ceux de 1995 et 1996. Si, en 1997, il y a eu 10 000 naissances de moins qu'en 1996, c'est que le nombre de femmes en âge de procréer commence à baisser : les générations nées à partir de 1974, il y a 23 ans, sont moins nombreuses que les précédentes, puisque c'est à partir de 1974 que le nombre de naissances a « décroché » et s'est mis à osciller autour de 750 000 au lieu de 850 000. La proportion de jeunes de moins de 20 ans est passée par un maximum de 34,2% au début de 1966, vingt ans après le début du baby-boom. Au début de 1998, elle en est à 25,8%.

Vieillissement et allongement de la vie

Simultanément, en haut de la pyramide des âges, le nombre et la proportion de personnes âgées de 65 ans ou plus s'accroissent régulièrement : 4,4 millions et 11% à la Libération, 5,8 millions et 12% en 1965, 6,7 millions et 13% en 1972, 7,5 millions et 14% en 1980. Le passage à l'âge de 65 ans des « classes creuses » nées pendant la guerre de 1914-1918 interrompit cette croissance qui reprit en 1986. La proportion de 14% fut à nouveau atteinte en 1991, cette fois avec 8,0 millions de personnes âgées. Au 1er janvier 1998, il y a 9,17 millions de personnes de ces âges, soit 15,6% de la population totale.

Cet aspect du vieillissement de la population, « par le haut » de la pyramide des âges, est lié à l'allongement de la durée de la vie, qui a été fort rapide au cours des années 80. La croissance de l'espérance de vie à la naissance au rythme « d'un trimestre par an » a frappé les esprits. De fait, celle-ci a encore crû de deux ans dans les huit années allant de 1985 à 1993 : de 71,3 à 73,3 ans pour les hommes, de 79,4 à 81,4 ans pour les femmes. Mais la croissance n'est plus tout à fait d'un an pour l'ensemble des quatre années allant de 1993 à 1997. **L'espérance de vie à la naissance** est estimée en 1997 à 74,2 ans pour les hommes, soit une progression en quatre ans de 0,9 an et à 82,1 ans pour les femmes, soit une progression de seulement 0,7 an. Quoique ces chiffres soient encore provisoires, il n'est pas impossible qu'un processus de ralentissement de la croissance de l'espérance de vie, surtout celle des femmes, soit amorcé et que l'écart entre hommes et femmes, particulièrement élevé en France, soit appelé à se réduire lentement (graphique 2).

L'effectif de personnes âgées de 65 ans ou plus est en rapport, plus précisément, avec l'espérance de vie à 65 ans, qui entre 1985 et 1993, est passé de 14,5 à 15,9 ans pour les hommes et de 18,8 ans à 20,3 ans pour les femmes, un progrès d'à peu près 0,7 an tous les quatre ans. L'estimation pour 1997 n'est pas encore disponible, celle pour 1996 était de 16,1 ans pour les hommes et de 20,6 ans pour les femmes : le progrès ne serait plus que de 0,4 ou 0,5 an en quatre ans, ce qui est encore fort appréciable mais semble indiquer également un ralentissement, plus sensible cette fois pour les hommes. L'écart de durée de vie entre hommes et femmes se répercute évidemment sur les effectifs âgés des deux sexes. Au 1er janvier 1998, sur les 9,17 millions de personnes âgées de 65 ans ou plus, 3,71 millions sont des hommes et 5,47 millions sont des femmes, soit respectivement 13,0% de la population masculine et 18,1% de la population féminine.

En dépit de la progression de l'espérance de vie, le vieillissement de la population fait que **le nombre de décès et le taux de mortalité** restent stables : 534 000 décès en 1997, soit 2 800 de moins qu'en 1996, et 9,1 décès pour 1 000 habitants, très proche

La société française contemporaine
Cahiers français n° 291

Population

75

---

(1) Le nombre des décès entre 0 et 20 ans et le solde migratoire des jeunes de ces âges jouent des rôles mineurs.

1. FRANCE métropolitaine. Indicateurs démographiques 1948-1958-1968-1978 et 1988 à 1998

	1948	1958	1968	1978	1988	1989	1990	1991	1992	1993	1994	1995	1996	1997	1998 (p)
Naissances (m)	867	809	833	737	771	765	762	759	744	712	711	730	734	726	740
Décès (m)	510	497	551	547	525	529	526	525	522	532	520	532	536	531	540
Excédent naturel (m)	358	312	282	190	247	236	236	234	222	179	191	198	199	195	200
Excédent migratoire (m)	45	140	102	19	57	71	80	90	90	70	50	40	35	40	40
Variation totale (m)	403	452	384	209	304	307	316	324	312	249	241	238	234	235	240
Taux de natalité (t)	21,1	18,1	16,7	13,8	13,7	13,6	13,4	13,3	13,0	12,3	12,3	12,5	12,6	12,4	12,6
Taux de mortalité (t)	12,4	11,1	11,0	10,2	9,3	9,4	9,3	9,2	9,1	9,2	9,0	9,1	9,2	9,1	9,2
Taux de mort. infantile (r)	55,9	31,5	20,4	10,7	7,8	7,5	7,3	7,3	6,8	6,5	5,9	4,9	4,8	4,8	4,8
Indice de fécondité (e)	3,00	2,67	2,58	1,82	1,80	1,79	1,78	1,77	1,73	1,65	1,65	1,70	1,72	1,71	1,75
Espérance de vie : hommes (a)	62,7	66,8	67,8	69,8	72,3	72,5	72,7	72,9	73,2	73,3	73,7	73,9	74,2	74,6	74,6
femmes (a)	68,8	73,2	75,2	77,9	80,5	80,6	80,9	81,1	81,4	81,4	81,8	81,9	82,0	82,3	82,2
Mariages (m)	371	312	357	355	271	280	287	280	271	255	254	255	280	284	282
Taux de nuptialité (t)	9,0	7,0	7,1	6,6	4,8	5,0	5,1	4,9	4,7	4,4	4,4	4,4	4,8	4,9	4,8
Population (1) (m)	**41 313**	**45 015**	**50 108**	**53 272**	**56 270**	**56 577**	**56 893**	**57 218**	**57 530**	**57 779**	**58 020**	**58 258**	**58 492**	**58 727**	**58 967**
Moins de 20 ans (1) (m)	12 366	14 121	16 757	16 511	15 793	15 720	15 632	15 523	15 397	15 259	15 171	15 150	15 159	15 142	15 145
65 ans ou plus (1) (m)	4 685	5 213	6 370	7 446	7 719	7 872	8 036	8 201	8 361	8 519	8 683	8 859	9 013	9 171	9 296
Moins de 20 ans (1) %	29,9	32,0	33,4	30,9	28,1	27,8	27,5	27,1	26,8	26,4	26,1	26,0	25,9	25,8	25,7
65 ans ou plus (1) %	11,2	11,6	12,7	12,7	13,7	13,9	14,1	14,3	14,5	14,7	15,0	15,2	15,4	15,6	15,8

(a) années - (e) enfants pour une femme - (m) milliers - (p) provisoire - (r) pour 1000 naissances - (t) pour 1000 habitants - (1) en fin d'année

Source : INSEE.

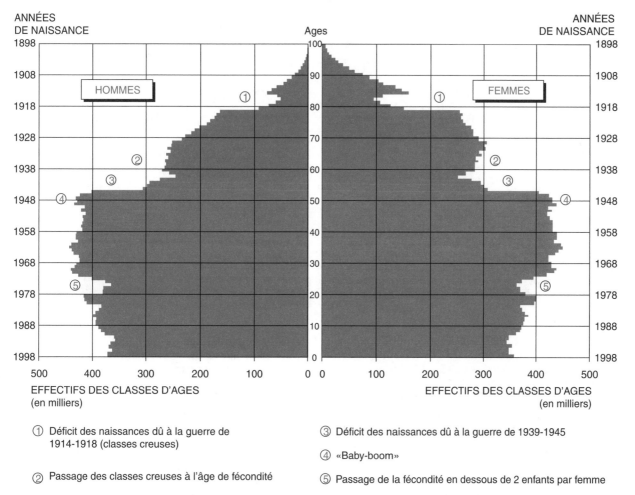

ANNÉES
DE NAISSANCE

Ages

ANNÉES
DE NAISSANCE

HOMMES

FEMMES

① Déficit des naissances dû à la guerre de 1914-1918 (classes creuses)

② Passage des classes creuses à l'âge de fécondité

③ Déficit des naissances dû à la guerre de 1939-1945

④ «Baby-boom»

⑤ Passage de la fécondité en dessous de 2 enfants par femme

EFFECTIFS DES CLASSES D'AGES
(en milliers)

EFFECTIFS DES CLASSES D'AGES
(en milliers)

La société française contemporaine
Cahiers français n° 291

Population

77

Source : « Bilan démographique 1998 » *INSEE-Première*, n° 633, février 1999 - *Bulletin mensuel de statistique*, INSEE, n° 1/1999, pp. 143-152.

du minimum historique de 9,0‰, observé en 1994. En 1995, année où le nombre de décès (531 600) était très proche de celui de 1997 et où le taux de mortalité était également de 9,1‰, la mortalité masculine était de 9,7‰ et la mortalité féminine 8,6‰ : il y avait à la fois plus de décès masculins (275 100 contre 256 500) et moins de personnes du sexe masculin dans la population (28,3 millions contre 29,8 millions).[…]

Baisse du nombre de couples mariés

De même que le nombre de naissances ne permet plus, depuis 1974, de maintenir simplement constant l'effectif de moins de 20 ans, le nombre de mariages est devenu insuffisant pour maintenir constant celui de couples mariés. Au 1er janvier 1996, le nombre d'hommes mariés (au sens légal, c'est-à-dire ni veufs, ni divorcés, ni célibataires, fût-ce « cohabitants ») résidant en France métropolitaine était estimé par l'INSEE à 12,50 millions, celui des femmes mariées à 12,31 millions (tableau 3). Cette curieuse et légère différence, bien connue des démographes, est principalement due à la présence sur le territoire de travailleurs immigrés dont l'épouse réside à l'étranger. Chaque année, le nombre de couples mariés est augmenté du nombre de mariages et diminué du nombre de divorces et de veuvages. En 1995, par exemple, il y a eu 119 200 divorces prononcés, 58 900 hommes devenus veufs et 162 600 femmes devenues veuves, soit un total de 340 700 dissolutions de couples mariés face à 254 700 mariages ; le nombre de couples mariés s'est donc réduit, en 1995, de 86 000. La baisse

3. États matrimoniaux. Estimation au 1er janvier 1996 (en milliers)

	Célibataires	Mariés	Veufs	Divorcés	Total
SEXE MASCULIN					
moins de 20 ans	7 744	-----	-----	-----	7 744
20 ans à 64 ans	6 031	9 822	152	1 059	17 064
65 ans et plus	280	2 673	492	112	3 557
Total hommes	**14 055**	**12 495**	**644**	**1 171**	**28 365**
SEXE FÉMININ					
moins de 20 ans	7 400	6	-----	-----	7 405
20 ans à 64 ans	4 904	10 226	692	1 364	17 186
65 ans et plus	416	2 082	2 587	216	5 301
Total femmes	**12 719**	**12 314**	**3 280**	**1 580**	**29 893**
Ensemble	**26 775**	**24 809**	**3 923**	**2 751**	**58 258**

Source : INSEE, *La situation démographique en 1995*, p. 34.

est continue depuis 1983 et le déficit cumulé en douze ans (2) est de l'ordre de 520 000, faisant passer le nombre de femmes mariées de 12,87 millions à 12,31. **Le nombre de mariages**, 254 000 en 1995, s'était fortement redressé en 1996 pour atteindre 280 600 et 284 500 en 1997. Cette forte augmentation avait été attribuée aux effets de *l'amendement de Courson* alignant l'imposition des couples non-mariés ayant des enfants sur celle, moins favorable, des couples mariés ; les chiffres publiés par l'INSEE confirment cette interprétation : le nombre de mariages ayant légitimé un ou plusieurs enfants nés antérieurement (1,4 en moyenne, en 1995) a augmenté de 37%, passant de 57 600 en 1995 à 79 000 en 1996, soit respectivement 22,6% et 28,2% du total des mariages, contre 18% en 1990. De même, les mariages des plus de 30 ans augmentent relativement plus que ceux des moins de 30 ans. Même en excluant les remariages de veufs et de divorcés, c'est-à-dire en se limitant aux mariages de célibataires, qui en 1995 représentaient 81,9% du total pour les hommes et 82,9% pour les femmes, contre respectivement 84,3% et 85,3% dix ans plus tôt, l'âge moyen du premier mariage a augmenté plus rapidement en 1996 que les années précédentes. De 1986 à 1995, il est passé de 24,5 à 26,9 ans pour les femmes et de 26,5 à 29,0 ans pour les hommes, soit une retard annuel compris entre trois et quatre mois. Pour la seule année 1996, ce retard est de six mois, portant l'âge moyen à 27,5 ans pour les femmes. Simultanément, l'âge moyen à la maternité (de tous rangs) s'élevait moins vite, de 27,6 ans à 29,1 ans. L'amendement de Courson n'a donc nullement encouragé le mariage au sens romantique du terme, celui de jeunes couples au seuil de leur vie affective, mais a fortement accentué la tendance actuelle qui transforme le mariage en formalité administrative ou événement mondain, intervenant au cours de la vie des couples, souvent après la naissance d'un ou deux enfants.

Autre aspect de cette transformation, la croissance de la **proportion de naissances hors-mariage** ne se dément pas. Venant de 12,7% en 1981 et 21,9% en 1986, elle a atteint 31,8% en 1991 et 39% en 1996. Le nombre absolu de naissances hors-mariage est désormais de l'ordre de 280 000 enfants par an, dont bon nombre seront ultérieurement légitimés. Complémentairement le nombre annuel de naissances légitimes est aujourd'hui de l'ordre de 450 000 par an, contre 600 000 en 1986 et 700 000 en 1981.

Comment comprendre que le mariage fasse l'objet d'une telle désaffection des jeunes couples ? Sans doute les pays occidentaux, où des phénomènes comparables s'observent, n'ont-ils pas encore complètement mesuré les conséquences de l'émancipation professionnelle des femmes et de la maîtrise de la fécondité. L'adaptation des rapports entre les deux sexes est permanente et aussi vieille que l'humanité. Nous en vivons un nouvel épisode. (*)

Michel Louis Lévy

(*) Extraits choisis par la Rédaction des *Cahiers français* dans La Lettre de l'INED, *Population et Sociétés* n° 333, mars 1998 et n° 344, mars 1999, pp. 1-2 et p. 3.
(2) Ce déficit tient compte aussi des mouvements migratoires, liés essentiellement ici au « regroupement familial ».

Relations professionnelles et actions collectives

Quelle place occupent aujourd'hui les acteurs collectifs que sont les syndicats de salariés et les organisations patronales ? Quel sens donner aux transformations des conflits sociaux que connaît la société française depuis plus d'une quinzaine d'années ? Michel Lallement présente ici les nouvelles dynamiques de l'action collective et leurs conséquences sur la situation des acteurs traditionnels des relations professionnelles.

C. F.

Un paysage en recomposition

Espace des relations de travail dans lequel se confrontent des acteurs collectifs dotés de ressources, d'intérêts et de valeurs multiples, le champ des relations professionnelles est habituellement analysé au prisme des interactions qui engagent des syndicats de salariés, des organisations d'employeurs et l'État. Ces catégories unifiantes ne doivent pas masquer l'hétérogénéité des forces en présence. En dépit des discours unitaires de leurs représentants nationaux ou des préférences idéologiques affichées, les confédérations syndicales rassemblent des groupements aux dimensions, aux pratiques et aux sensibilités fort différentes. Les organisations patronales et la « nébuleuse étatique » composent de même des ensembles extrêmement bigarrés. Malgré le flou qui entoure ainsi la dénomination de tous ces ensembles, il est possible de repérer plusieurs lames de fond venues bousculer, au cours de ces vingt-cinq dernières années, l'action de ces acteurs collectifs.

Crise et invention de nouvelles formes d'actions syndicales

Placé au regard des autres réalités nationales, le syndicalisme français apparaît plus que jamais divisé et faible. Communément utilisé pour rendre compte d'une telle situation, le terme de « crise » est en fait bien ambigu pour caractériser la situation actuelle. D'un côté, il est vrai, le syndicalisme ne cesse de perdre des adhérents. Au sortir de la guerre, près d'un salarié français sur deux était membre d'une organisation syndicale, et en grande majorité au profit de la CGT. Après une période de baisse et de stabilisation, la tendance est nettement au déclin depuis le milieu des années 70. Environ deux millions d'individus, soit à peu près 10% du total des salariés, sont actuellement syndiqués. Et, bien que le phénomène soit de moindre ampleur, le secteur public subit lui aussi une décroissance régulière des effectifs adhérents. Le déclin se mesure également au taux d'implantation des sections syndicales dans les entreprises. En 1980, six entreprises sur dix en étaient pourvues. Elles sont moins d'une sur deux en ce cas depuis 1993. Les résultats aux élections des comités d'entreprises témoignent autrement, mais avec autant d'éloquence, d'un certain épuisement. Les listes de non syndiqués constituent aujourd'hui la première force de représentation. Laissant derrière elles les représentants des centrales syndicales, ces listes drainent, depuis le début années 90, près du tiers des suffrages salariés (contre un peu plus de 20% pour la CFDT et un petit moins de 20% pour la CGT).

Même si l'on prend en compte les effets liés aux déformations sectorielles, la thèse du déclin est bien vérifiée (1). Celle-ci doit être cependant nuancée par au moins deux types de considérations. Les confédérations syndicales ont d'abord acquis des positions institutionnelles fortes qui les placent au centre de nombreux réseaux de décision importants et qui leur procurent, par voie de conséquence, ressources et pouvoirs (cf. encadré). Le syndicalisme est, ensuite, en pleine transformation. Pour emprunter le vocabulaire d'Alain Touraine, le syndicalisme de classe et de masse n'alimente plus la dynamique d'un mouvement ouvrier qui s'était révélé sujet historique central de la société industrielle en sachant faire front à la domination en opposant le travail et le métier à l'exploitation capitaliste. Le syndicalisme tente maintenant de s'articuler à des réalités organisationnelles et à des identités professionnelles en pleine évolution. Comme le suggère Pierre-Éric Tixier, l'action syndicale se diversifie et prend aussi bien la forme de relations de service (investissement dans la gestion des comités

La société française contemporaine
Cahiers français
n° 291

Relations professionnelles et actions collectives

79

(1) Ce déclin est expliqué de différentes manières. Pierre Rosanvallon met l'accent, pour sa part, sur l'affaiblissement des fonctions traditionnelles du syndicalisme (représentation des intérêts, régulation des conflits, production des solidarités) et anticipait à la fin des années 80 l'avènement d'un syndicalisme sans adhérents. D'autres insistent sur la bureaucratisation des appareils qui éloigne les militants des réalités de base, d'autres encore notent un moindre incitation « utilitaire » à l'adhésion...

d'entreprises, politique d'information au profit des salariés...), de la cogestion (contrôle des groupes d'expression, implication dans la gestion de l'entreprise...) que du repli corporatiste (2).

La galaxie syndicale est enfin en pleine recomposition. Au milieu des années 80, des « coordinations » d'étudiants, d'infirmières, d'instituteurs, d'assistantes sociales, etc., avaient mené des actions collectives nourries, pour une grande partie d'entre elles, par un sentiment de frustration relative. Autrement dit, le décalage croissant entre qualifications réelles et reconnaissance sociale (niveau de revenu, perspectives de carrière, prestige...) avait stimulé la mobilisation de groupes professionnels en décalage avec les valeurs et les pratiques dominantes dans les organisations syndicales traditionnelles. Depuis les années 90, et dans le secteur public essentiellement, les transformations se sont accélérées. La FEN (Fédération de l'Éducation Nationale) a éclaté et, à l'instigation de syndicats exclus de cette dernière, naît la Fédération syndicale unitaire (FSU). En 1993, apparaît l'Union Nationale des Syndicats Autonomes qui concurrence désormais le Groupe des Dix dans l'espace du syndicalisme « alternatif ». Du nom des dix syndicats autonomes qui avaient assemblé leurs forces en 1981, le Groupe des Dix revendique des

pratiques syndicales plus indépendantes, plus démocratiques et plus proches des salariés que les organisations classiques. En se mobilisant aux côtés d'associations comme AC (Agir contre le chômage) !, il montre surtout que le terrain des luttes ne se confine plus à la défense ou à l'acquisition de droits sociaux au sein de l'entreprise mais que l'enjeu des actions collectives est aussi la reconnaissance des groupes « sans » (sans emplois, sans abris, sans papiers...) (3).

Division et évolution du syndicalisme patronal

Face à un syndicalisme salarié pluriel, le patronat a pu longtemps faire croire à l'existence d'une plus grande unité en son sein. L'importance du CNPF (devenu

(2) Pierre-Éric Tixier, « Organisation de l'entreprise et action syndicale » in M. Béchet, J.-P. Huiban (éds), *Emploi, croissance et compétitivité*, Paris, Syros, 1992, pp. 141-163.
(3) Le Groupe des Dix revendiquait 60 000 adhérents en 1997. Pour de plus amples informations, cf. Jean-Marie Denis, Patrick Rozenblatt, « L'institution d'un syndicalisme fédéré interprofessionnel. Le Groupe des Dix », *Sociologie du travail*, XL, n°2, pp. 263-276.

La société française contemporaine
Cahiers français n° 291

Relations professionnelles et actions collectives

80

Les organisations syndicales et patronales en France

Cinq confédérations sont reconnues « représentatives » des salariés à l'heure actuelle : la CGT, la CFDT, la CGT-FO, la CFTC et la CFE-CGC. Un tel statut leur donne droit de présenter des candidats au premier tour des élections des membres du comité d'entreprise et des délégués du personnel, de désigner un représentant au comité d'entreprise, de constituer des sections syndicales dans les entreprises et de désigner des délégués syndicaux, de siéger à la Commission nationale de la négociation collective et au Conseil économique et social, etc. La représentativité permet surtout à un syndicat de négocier un accord applicable à tous les salariés appartenant au champ d'application de l'accord. Les organisations syndicales sont aussi présentes dans les conseils de prud'hommes et dans les commissions de recours gracieux (comme à la Sécurité sociale) pour participer aux procédures de règlement des litiges et contentieux. Elles ont par ailleurs un rôle consultatif dans la plupart des groupes constitués qui interviennent dans le domaine économique ou de l'emploi ainsi que dans d'autres instances dont les domaines de compétence sont fort

variables (consommation, justice, immigration, etc.). Les confédérations syndicales sont enfin impliquées dans la gestion des mutuelles, caisses de Sécurité sociale et autres organismes de retraite et de prévoyance. Toutes les grandes confédérations françaises coiffent un ensemble de syndicats groupés dans des fédérations d'industrie ou de métier. Les syndicats sont aussi organisés, sur une base interprofessionnelle, en unions locales, départementales et régionales. En 1998, les deux confédérations syndicales les plus puissantes revendiquaient respectivement 723 500 adhérents (CFDT) et 640 000 adhérents (CGT).

La représentation des intérêts patronaux est prise en charge par une multiplicité d'institutions telles que les ordres professionnels, les chambres d'agriculture, de métiers, du commerce et de l'industrie ou encore les organisations reconnues représentatives (CGPME, FNSEA, MEDEF, UPA...). Expressions de l'hétérogénéité sociale du monde patronal, les organisations représentatives regroupent des entreprises qui vont des plus petites unités implantées en province aux grosses sociétés parisiennes. Comme les syndicats de salariés, elles œuvrent au sein de nombreuses instances de consultation et de participation. Dans le secteur de l'industrie et des services, la CGPME et le MEDEF sont les principaux supports de l'action patronale. Dans les deux cas, les entreprises n'adhèrent pas ou peu à la confédération mais aux syndicats professionnels et aux unions territoriales affiliés. En 1999, le MEDEF dit représenter plus d'un million d'entreprises par l'entremise de 85 fédérations professionnelles qui regroupent 600 syndicats professionnels auxquels adhèrent les entreprises d'un même secteur d'activité. 165 unions ou MEDEF territoriaux regroupent par ailleurs les entreprises aux niveaux local, départemental et régional.

M. L.

Mouvement des Entreprises de France en 1998) dans l'univers de la représentation des intérêts employeurs a certainement permis d'entretenir durablement une telle idée. A l'occasion des différentes successions à la présidence de l'organisation, les années 90 ont cependant été marquées par des dissensions fortes et publiques au sein de la confédération patronale. Ces tensions rappellent la profondeur de divisions structurelles qui continuent d'opposer notamment le monde du patronat de base, celui des propriétaires des PME de province, plutôt méfiant à l'encontre de la mondialisation des relations économiques, à un patronat d'élite, sorti des grandes écoles étatiques, plus mobile et rompu aux tensions entre exigences des actionnaires et stratégies gestionnaires.

Les institutions représentatives du patronat français subissent par ailleurs une crise plus sévère encore que celles des syndicats de salariés. Telle est, en tous les cas, une des conclusions de la recherche consacrée par Jean Bunel aux transformations de l'action patronale dans la région Rhône-Alpes (4). Ce dernier constate un affaiblissement de la ferveur militante qui peut s'expliquer par l'épuisement d'un certain idéal social-religieux et d'une moindre vivacité idéologique. Les taux d'adhésion en fournissent une première preuve : la part des entreprises adhérentes aux chambres syndicales varie entre 10 et, au mieux, 50%. Mais, surtout, le sens de l'adhésion a évolué : les fédérations les plus attractives sont celles qui ont su transformer leurs adhérents en clients en leur proposant une panoplie de services techniques, juridiques, etc. Les chefs d'entreprise sont ensuite de moins en moins nombreux à participer aux élections auxquelles ils sont conviés. Jean Bunel note qu'« *une rupture s'est produite au milieu des années 80. Au cours des années 70 et encore une année après l'arrivée de la gauche au pouvoir, la participation aux élections consulaires est de 35% en moyenne (40% en 1974, 33% en 1976, 36% en 1979) ; aux élections prud'hommales de 1979, ce sont près de la moitié des employeurs inscrits qui sont allés voter. Après cette date, la participation s'effondre. C'est un recul de vingt et un points que l'on observe aux élections prud'hommales, plus élevé encore que celui qui a été enregistré chez les salariés. En 1992, un électeur sur quatre a voté aux élections consulaires et en novembre 1994, un électeur sur cinq* ». Au milieu des années 90, les élections des représentants aux chambres de commerce et d'industrie mobilisent ainsi à peine un électeur sur cinq (contre 4 sur 10 vingt ans auparavant). A ce constat, il convient d'ajouter un élément qui n'est pas propre au cas français. Les PME, désormais prépondérantes, sont peu nombreuses à adhérer aux organisations patronales. La syndicalisation est, il est vrai, d'autant plus coûteuse et incertaine dans ses effets que les risques de faillite sont plus élevés pour les petites entreprises que pour les grosses.

Malgré ces évolutions récentes, l'éventail de l'action patronale reste large puisque se combinent négociations, participations, concertations, co-gestion et activités de lobbying. Mais, au regard des autres pays développés, le patronat français offre l'image d'une relative désorganisation et d'une faible capacité à coordonner et à promouvoir collectivement ses intérêts par le biais des canaux institutionnels reconnus (5). Sur fond de crise, deux tendances structurent l'action patronale actuelle : d'une part, le renforcement de pratiques de lobbying auprès de la puissance politique lors de la préparation des budgets ou de lois nouvelles et, d'autre part, la volonté de radicaliser une politique de flexibilité et de libre entreprise. Ceci signifie tout à la fois un soutien aux politiques de décentralisation de la négociation (qui se traduit par exemple, sur le plan organisationnel, par un renforcement des unions patronales locales au sein du MEDEF) mais aussi par le souhait d'investir de nouveaux terrains jugés déterminants pour l'avenir des entreprises (celui de l'éducation par exemple).

Les transformations de l'action publique

La société française contemporaine
Cahiers français
n° 291

Relations
professionnelles et
actions collectives

81

Dans le champ des relations professionnelles, l'État joue lui aussi un rôle important. A vrai dire, ses fonctions sont multiples. L'État est d'abord le premier employeur au sein de la société française. Cette position singulière lui permet depuis longtemps d'impulser une politique salariale en montrant par l'exemple les grandes orientations qu'il entend imposer en matière de politique économique. Plus récemment, c'est aussi en tant qu'employeur qu'il a pu promouvoir une modernisation des services publics afin de jouer la carte de la décentralisation des niveaux de décision, du décloisonnement des fonctions, de la différenciation des publics, de la prise en charge plus individualisée des prestataires, etc.

L'État a aussi une mission normative. Il remplit en d'autres termes une fonction de régulation en produisant des lois dont il tente de contrôler, par différents moyens, la portée et l'effectivité. En fait, ces règles sont rarement l'expression d'un pouvoir unique qui émane des autorités politiques. Depuis les années 70, la loi est de plus en plus négociée : les politiques publiques sont le produit de discussions et de compromis qui impliquent des acteurs multiples qui vont des ministères aux groupes de pression les plus divers. Dans le domaine des relations professionnelles, les lois sur le travail et l'emploi ne font ainsi souvent que consacrer un accord ou une convention préalablement signée par les organisations syndicales et patronales.

L'État sert enfin de garant. Comme le rappelle Robert Castel, l'État français a joué historiquement un rôle de premier plan en assurant la légitimité et la pérennité d'un système de régulation qui a permis au travail d'échapper aux seules lois du marché (6). Dans cette

(4) Jean Bunel, *La transformation de la représentation patronale en France - CNPF et CGPME*, Rapport de recherche, Institut du travail de Lyon, Commissariat général du Plan, novembre 1995.
(5) Bob Hancké, « Le rôle de l'État dans les relations de travail », *Travail et emploi*, n°2, 1997.
(6) Robert Castel, *Les métamorphoses de la question sociale. Une chronique du salariat*, Paris, Fayard, 1995.

perspective, il a réduit l'arbitraire des relations entre salariés et employeurs en reconnaissant des acteurs réputés représentatifs des intérêts en présence (cf. encadré). Et c'est l'État également qui a produit les règles permettant d'organiser la confrontation et la négociation sociales. Dans une période où l'État social annonce plutôt son retrait, la principale novation consiste maintenant à davantage déléguer vers le bas la capacité à produire des règles visant à ordonner les relations de travail. Les lois Auroux du début des années 80 sont une des expressions les plus

spectaculaires de ce mouvement. Forme de reconnaissance et de promotion de la négociation de branche et d'entreprise, ces lois sont en réalité un demi-échec si l'on considère qu'elles n'ont pu toujours bénéficier, au niveau local, de forces vives pour dynamiser la négociation. Tel est le paradoxe qu'illustrent encore plus récemment les lois Aubry sur les 35 heures : pour obliger les organisations syndicales et patronales à prendre en charge la production conjointe de règles nouvelles, l'État doit s'affirmer fermement volontariste...

La représentation du personnel

La société française contemporaine
Cahiers français n° 291

Relations professionnelles et actions collectives

82

Les trois instances de représentation des salariés dans les établissements, **délégués syndicaux**, **comités d'entreprise**, **délégués du personnel**, ont des fonctions en principe différentes : aux délégués syndicaux la négociation, au comité d'entreprise la consultation et l'information, aux délégués du personnel le recours et la revendication. En général, plusieurs de ces instances coexistent dans un même établissement (figure 1).

Longtemps, les **syndicats** ont été tenus à l'écart des entreprises. La section syndicale d'entreprise n'a été reconnue qu'en 1968, lors des accords de Grenelle. Les délégués syndicaux y sont nommés par leurs organisations syndicales, et non élus comme les délégués du personnel et les représentants au comité d'entreprise. Depuis 1982, leur rôle a été élargi, avec le monopole

de la négociation obligatoire sur les salaires. Pourtant, leur implantation semble se stabiliser : depuis la fin de la décennie 80, la moitié seulement des établissements de 50 salariés ou plus ont un délégué syndical. La présence de délégués augmente avec la taille des établissements, comme le taux de syndicalisation, de sorte que les deux tiers des salariés correspondants sont couverts. Toutefois, dès qu'un délégué syndical est présent, le pourcentage de salariés syndiqués demeure de l'ordre de 13-18 %, quelle que soit la taille de l'unité (figure 2).

Les **comités d'entreprise** ont été créés en 1945. Ils comprennent des représentants élus et doivent en principe être constitués dans les établissements de plus de 50 salariés. Ils le sont effectivement dans quatre cas sur cinq, et couvrent neuf salariés sur dix. Leur

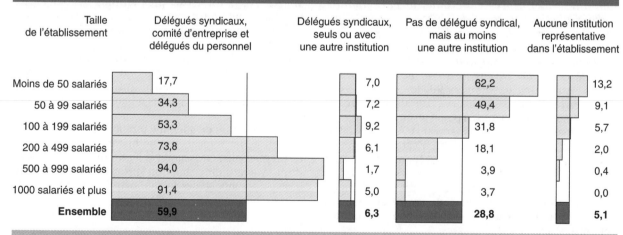

1. Les principales instances de représentations du personnel en 1995
(en % des salariés couverts)

Taille de l'établissement	Délégués syndicaux, comité d'entreprise et délégués du personnel	Délégués syndicaux, seuls ou avec une autre institution	Pas de délégué syndical, mais au moins une autre institution	Aucune institution représentative dans l'établissement
Moins de 50 salariés	17,7	7,0	62,2	13,2
50 à 99 salariés	34,3	7,2	49,4	9,1
100 à 199 salariés	53,3	9,2	31,8	5,7
200 à 499 salariés	73,8	6,1	18,1	2,0
500 à 999 salariés	94,0	1,7	3,9	0,4
1000 salariés et plus	91,4	5,0	3,7	0,0
Ensemble	**59,9**	**6,3**	**28,8**	**5,1**

Source : DARES, ministère de l'Emploi et de la Solidarité, enquête Réponse, 1995.

Dynamiques de l'action collective

Parce que les relations de travail ont longtemps été au cœur des rapports sociaux constitutifs de la société industrielle, l'on continue volontiers de mobiliser aujourd'hui le couple conflit/négociation afin d'analyser les transformations des relations professionnelles. Ces catégories deviennent cependant de moins en moins pertinentes à mesure que les conflits prennent une coloration plus politique et culturelle et que la négociation se transforme.

Le sens des conflits

Pour le salarié, la grève est un instrument privilégié afin d'exprimer son mécontentement et de promouvoir ses revendications. A la différence d'autres pays où l'on ne peut y recourir qu'après une période obligée

---

secrétaire est un élu qui reflète la majorité du comité, tandis que son président est l'employeur ou quelqu'un qui le représente. Les comités sont obligatoirement informés par l'employeur de certains aspects de la vie de l'entreprise, et consultés en cas de licenciements économiques, ou sur d'autres sujets comme les plans de formation. Ils gèrent aussi les œuvres sociales et, à ce titre, ils établissent un lien direct avec les salariés, y compris ceux qui sont en désaccord avec les syndicats, ou n'en voient pas l'utilité. Presque tous les comités organisent des fêtes, même les petits, même les moins bien dotés. Ils assurent ainsi un rôle minimum de redistribution et de convivialité, dépensant pour cela un peu plus de 300 francs par salarié en moyenne.

*Les **délégués du personnel** ont été institués en 1936. Ils doivent être élus dans tous les établissements de plus de 10 salariés. Leur rôle principal est de servir d'intermédiaire entre l'employeur et les salariés. Recours en cas de litige individuel ou collectif, le délégué du personnel bénéficie d'heures de délégation ; des réunions sont en outre prévues avec l'employeur, pendant lesquelles les délégués peuvent exposer les doléances des salariés. En fait, ils sont en position difficile, souvent concurrencés par la hiérarchie intermédiaire, que les employeurs utilisent à la fois pour faire passer des informations descendantes et pour apprécier le climat de la base. Quand les syndicats sont présents, ce sont souvent les délégués syndicaux qui exercent cette fonction de recours.(*)*

Michel Cézard,
Jean-Louis Dayan

(*) Encadré de Michel Cézard, Jean-Louis Dayan paru dans *Données sociales - La société française*, Paris, INSEE, 1999, pp. 191-192.

La société française contemporaine Cahiers français n° 291

Relations professionnelles et actions collectives

2. Présence d'organisations syndicales et taux de syndicalisation dans les établissements pourvus d'un comité d'entreprise, en 1995

Tailles des établissements	Présence syndicale		Taux moyen de syndicalisation des salariés	
	En % des établissements	En % des salariés couverts	Dans l'ensemble des établissements	Dans les seuls établissements avec présence syndicale
Ensemble	58,0	77,6	11,6	14,4
dont :				
de 50 à 99 salariés	39,8	40,4	6,7	15,1
de 100 à 199 salariés	59,1	59,9	8,5	13,1
de 200 à 499 salariés	76,9	78,2	10,6	13,1
de 500 à 999 salariés	88,9	90,0	13,0	13,8
de 1 000 à 2 499 salariés	95,4	95,8	14,0	14,6
2 500 salariés et plus	99,1	99,5	18,0	18,0

Source : DARES-IRES, enquête auprès des secrétaires des comités d'entreprise sur les activités et le fonctionnement des comités d'entreprises, 1995.

de paix sociale, la grève reste en France un moyen de mettre un terme à tout moment, sauf exceptions, à des compromis antérieurs. Si l'on ne tient pas compte de l'année 1995, la tendance de fond est, sur ce terrain également, celle du déclin. Entre 1976 et 1980, le nombre de journées de grèves est, dans le secteur privé et semi-public, de trois millions en moyenne contre près de quatre dans la demi-décennie précédente. Avec les années 80, le mouvement de reflux s'accentue : un million et demi par an en moyenne entre 1981 et 1985 puis moins d'un million jusqu'en 1996. Dans la fonction publique, les données indiquent des mouvements plus erratiques mais le début des années 90 entérine une diminution également sensible.

Cette évolution d'ensemble doit être interprétée avec prudence. Il y a certes un déclin tendanciel du nombre de journées de grève mais celui-ci ne rend pas compte de l'émergence de façons différentes de lutter et de s'opposer. Bien qu'il ne soit pas toujours aisé de faire la part du local et du national, les conflits localisés tiennent ainsi une place croissante dans le tableau d'ensemble de ces deux dernières décennies. Par ailleurs, les statistiques enregistrent mal le fait que les débrayages ponctuels puissent remplacer les actions continues ou que les grèves bouchon se substituent à des immobilisations complètes d'établissements. L'évolution de ces dernières années est révélatrice, plus généralement, du recours à des mobilisations moins encadrées et plus spontanées. Les grèves sont également plus localisées et fragmentées mais aussi moins immédiatement repérables en raison notamment de l'affaiblissement de la présence syndicale en entreprise. Autre fait nouveau : même lorsqu'ils restent centrés sur l'univers du travail, les conflits dépassent bien plus souvent qu'hier la simple confrontation entre employeurs et salariés. Dans les années 90, et dans des secteurs fort différents, des employeurs et leurs salariés ont joint leurs forces pour protester de concert contre la rigidité des réglementations ou, à l'inverse, contre les dangers d'un libéralisme débridé : manifestation des fonctionnaires contre les délocalisations, mobilisation paysanne contre le GATT, blocus des camionneurs, perturbation des cérémonies d'auto-promotion du monde du spectacle par les intermittents, grève de la faim des maîtres-auxiliaires, etc. Mais les enjeux et le sens des conflits sont aussi en pleine transformation. Pour Guy Groux, si l'on veut bien accepter d'élargir le champ d'observation, alors force est de constater un renouveau des conflits sociaux (7). Les luttes actuelles ne sont plus fondées sur des oppositions tranchées de classe mais sur des communautés d'appartenance durable. Les mouvements de femmes, les révoltes des banlieues, la mobilisation des minorités sexuelles, la création d'associations de chômeurs, la révolte des « sans »... indiquent tous la volonté de poser le conflit en termes de citoyenneté. Autrement dit, et pour emprunter à nouveau le vocabulaire d'Alain Touraine, ces mouvements défendent à la fois l'égalité et la différence. Ce faisant, ils revendiquent la reconnaissance de droits culturels, et non plus celles de droits sociaux comme le font toujours les organisations syndicales.

Quelle portée effective de la décentralisation de la négociation ?

Avec la crise du syndicalisme et l'évolution de la nature des conflits, le mouvement de décentralisation de la négociation est un trait saillant qui a souvent été mis en évidence (8). En France, différentes lois et dispositifs ont pu peser dans un tel sens. Il en va ainsi de l'obligation annuelle de négocier au niveau de la branche et de l'entreprise, ou encore de la reconnaissance d'accords « dérogatoires » qui autorisent la substitution à la loi de règles négociées à un niveau inférieur. De fait, l'on enregistre une augmentation significative du nombre d'accords signés par les entreprises et les établissements, sur les thèmes du salaire et du temps de travail au premier chef. Le nombre de ces accords locaux enregistrés par le ministère du Travail passe plus exactement de 1 500 en 1981 à 9 724 en 1996. A cette dernière date, 3,1 millions de salariés étaient concernés par de tels arrangements.

Plusieurs éléments ont été avancés pour tenter d'expliquer une telle dynamique : logique de l'adaptation aux conditions économiques nouvelles, élévation du niveau culturel des salariés et diversification de leurs aspirations, volonté d'imprimer plus de modestie à l'action étatique... Le phénomène est en fait plus complexe qu'il peut y paraître *a priori* (9). La réglementation de branche, tout d'abord, n'a pas dépéri et l'on assiste même plutôt à une généralisation de la couverture conventionnelle de branche. Ensuite, une décentralisation du niveau de la contractualisation ne signifie pas toujours une plus grande implication des acteurs locaux. En matière de temps de travail, par exemple, nombreux sont les accords de pure routine qui entérinent simplement des arrangements sur les journées de congés et sur les ponts. Dans d'autres cas encore, les accords d'entreprise ne font que formaliser des compromis auparavant implicites. D'un thème à l'autre, enfin, les niveaux de négociation privilégiés restent variables si bien qu'il serait abusif de diagnostiquer un mouvement simple et unilatéral.

Pour nuancer encore le propos, il conviendrait de s'interroger aussi, à la suite des juristes du travail, sur la signification de la prédominance de la branche dans le système français de relations professionnelles. La régulation de branche n'a jamais été un moyen de brider étroitement le pouvoir de décision des chefs d'entreprise mais n'a fait que borner jusqu'à présent l'espace de ce pouvoir sur la base du principe d'autonomie relative de ces derniers. La décentralisation de la négociation peut donc aussi s'analyser, au moins formellement, comme un partage obligé de ce pouvoir de décision interne. Reste que, en matière de normali-

(7) Guy Groux, *Vers un renouveau du conflit social ?*, Paris, Bayard, 1998.
(8) Harry C. Katz, « The Decentralization of Collective Bargaining : A Literature Review and Comparative Analysis », *Industrial and Labour Relations Review*, vol. 47, n°1, octobre 1993, pp. 3-22.
(9) Michel Lallement, *Les gouvernances de l'emploi*, Paris, Desclée de Brouwer, 1999.

La société française contemporaine
Cahiers français
n° 291

Relations professionnelles et actions collectives

sation des relations de travail, le champ des possibles s'est élargi, au profit principalement des responsables d'entreprise. Ces derniers bénéficient à l'heure actuelle d'une latitude beaucoup plus grande afin de fixer des cadres réglementaires spécifiques à chaque entité productive. On le voit : les politiques de flexibilité transforment donc non seulement les modalités de gestion du travail et de l'emploi mais également la manière dont les acteurs des relations professionnelles peuvent s'opposer et négocier pour co-produire, sur ce thème précis, des règles nouvelles.

Relations professionnelles et changement social

A l'instar d'autres espaces d'actions et de représentations, les relations professionnelles produisent et reflètent tout en même temps les grandes inflexions caractéristiques du changement contemporain. De ce point de vue, deux éléments méritent d'être pointés. La recomposition d'un rapport social déterminant, le rapport salarial en l'occurrence, est d'abord au centre de nombreuses actions et confrontations. Des années 50 aux années 70, le mode « normal » d'intégration sur le marché du travail était assuré par un emploi stable, à durée déterminée et dont l'usage était encadré par des normes négociées collectivement. Le développement du chômage et des politiques de flexibilité est venu bousculer un tel modèle. Un des enjeux majeurs des luttes et des négociations actuelles est, par voie de conséquence, l'invention de nouvelles règles relatives au statut de l'emploi et, plus généralement, à la place du travail dans la société contemporaine (10). Utilisée par certains sociologues pour analyser le sens des changements actuels (11), la tension local/global joue aussi pleinement dans le champ des relations professionnelles. A côté du mouvement de décentralisation de la négociation, de localisation des conflits et de montée en puissance des PME dans l'univers productif (cf. *supra*), la lente et difficile construction européenne des relations de travail prend concrètement forme par le biais des comités d'entreprises européens, structures qui concernent les entreprises de plus de 1 000 salariés implantés dans au moins deux pays. L'invention de procédures de dialogue entre représentants transnationaux des intérêts patronaux (UNICE, CEEP) et syndicaux (CES) et la possibilité de négocier des accords européens contribuent également à un tel effort. C'est aussi le cas des récentes « eurogrèves » (grèves des routiers européens, arrêt de travail des cheminots dans six pays de l'Union à la fois, mobilisations conjointes de salariés français et belges contre la fermeture d'usines Levis...) qui avaient pour objectif, en 1998, de protester contre des projets de restructurations ou de contester des directives émanant de Bruxelles. En dépit de ces initiatives récentes, il faut bien reconnaître que les pratiques d'action et de négociation européennes restent marginales et que les cadres nationaux continuent encore largement de prédéterminer le jeu des relations professionnelles.

Michel Lallement,
GRIS, département de sociologie,
Université de Rouen

(10) La légitimité des acteurs et des règles qui structurent le champ des relations professionnelles est un autre enjeu, d'autant plus conflictuel celui-là que certaines revendications récentes (volonté par exemple des associations de chômeurs de siéger à l'UNEDIC) remettent explicitement en cause le monopole de confédérations toujours considérées comme « représentatives », et cela en dépit du faible nombre d'adhérents qu'elles rassemblent en leur sein.
(11) Antony Giddens, *La constitution de la société*, Paris, PUF, 1987.

La société
française
contemporaine
Cahiers français
n° 291

Relations
professionnelles et
actions collectives

85

Références bibliographiques

Cézard Michel, Dayan Jean-Louis, « Les relations professionnelles en mutation », *Données sociales-La société française*, Paris, INSEE, 1999.

Coutrot Thomas, « Relations sociales en entreprise : voir midi à sa porte », *Travail et emploi*, n°66, 1, 1996, pp. 71-85.

Demazière Didier, Pignoni Maria Teresa, *Chômeurs : du silence à la révolte*, Paris, Hachette, 1999.

Groux Guy, *Vers un renouveau du conflit social ?*, Paris, Bayard, 1998.

Labbé Dominique, *Syndicats et syndiqués en France depuis 1945*, Paris, L'Harmattan, 1996.

Lallement Michel, *Sociologie des relations professionnelles*, Paris, La Découverte, 1996.

Rosanvallon Pierre, *La question syndicale*, Paris, Calmann-Lévy, 1988.

Sociologie du travail :

- n° spécial « Grèves. Automne 1995 », XXXIX, 4, 1997.

- n° spécial « Reconfigurations des relations professionnelles », XL, 2, 1998.

Touraine Alain, Wievorka Michel, Dubet François, *Le mouvement ouvrier*, Paris, Fayard, 1988.

La santé : un monde social en mutation

La société
française
contemporaine
Cahiers français
n° 291

Santé

Avec des dépenses en forte croissance, la santé est une préoccupation majeure des Français. A côté des progrès considérables en matière de prévention et de traitement des maladies, le monde social de la santé se transforme. Le paysage des pathologies évolue, l'institution hospitalière voit ses contraintes s'élargir et la prise en charge des malades se modifier tandis que les professions médicales font face à une perte de légitimité.
Danièle Carricaburu présente ici ces grandes transformations en s'appuyant sur les analyses récentes de la sociologie de la santé.

C. F.

Qu'est-ce que la Santé ? Répondre à une telle question n'est pas simple ; il s'agit même d'un exercice périlleux, susceptible de déclencher des controverses. En effet, la santé est une notion idéologique, qui varie selon les époques et selon les contextes culturels et sociaux. En 1996, la revue *Prévenir* consacrait un numéro spécial aux usages et aux enjeux d'une définition de la santé. Une vingtaine d'auteurs – anthropologues, économistes, historiens, médecins, philosophes et sociologues – ont ainsi réfléchi sur ce thème et sa pertinence dans leur discipline respective. L'ensemble de leurs réflexions soulève de multiples interrogations tant sur le plan politique que théorique, ou même empirique. La définition de référence est en effet celle de l'Organisation Mondiale de la Santé (OMS). Adoptée en 1946, cette définition stipule que « la santé est un état de complet bien-être physique, mental et social, et ne consiste pas seulement en une absence de maladie ou d'infirmité ». Bien qu'elle ait

le mérite d'introduire l'environnement social et d'inscrire la santé comme « l'un des droits fondamentaux de tout être humain », cette définition a subi de multiples critiques : trop générale, statique, trop idéaliste, voire démagogique, etc. ; elle a été et continue d'être contestée. Pourtant, cette définition montre qu'aujourd'hui la santé n'est plus considérée uniquement comme « le silence des organes » (1) ; elle est devenue un objectif non seulement personnel mais également collectif ou, pour le dire autrement, l'une des valeurs fédératrices de nos sociétés industrielles qui y consacrent d'importants budgets, destinés au remboursement des soins et des examens complémentaires, au fonctionnement des établissements de santé, aux rétributions des professionnels de santé, à l'enseignement médical et paramédical, à la recherche biomédicale, etc. D'ailleurs, dans la plupart des pays occidentaux, la croissance constante des dépenses de santé constitue un problème majeur dans la mesure où elle est plus importante que celle de la richesse nationale et peut représenter à terme une menace pour l'État providence.
Pour comprendre le contexte actuel, on retiendra, parmi les évolutions majeures qui ont traversé le monde social de la santé au cours des cinq dernières décennies, celles qui ont affecté le paysage pathologique dominant, les changements qui ont transformé l'institution hospitalière et les modifications qui ont ébranlé l'autonomie de la médecine.

Vers une prédominance des maladies chroniques

Un nouveau type de maladies

Depuis la généralisation des antibiotiques au cours des années 50 et l'élévation du niveau de vie, les maladies aiguës ont cessé d'être les pathologies dominantes dans les pays occidentaux. La prédominance des maladies chroniques ne peut que s'accentuer avec la conjonction du vieillissement de la population et des progrès thérapeutiques qui transforment des maladies autrefois rapidement mortelles, telles que le diabète ou l'hémophilie, en maladies dont on ne meurt plus directement, mais dont on ne guérit pas encore, et avec lesquelles on peut vivre de nombreuses années. Actuellement, grâce aux récents progrès thérapeutiques que représentent les multithérapies, le sida est d'ailleurs en train de devenir une maladie qui se chronicise, à défaut de se guérir.
Bien que ces maladies forment une catégorie d'une très grande hétérogénéité, on peut les caractériser par leur durée, leur incertitude et par la gestion qu'elles

---

(1) René Leriche, « De la santé à la maladie : où va la médecine ? », *Encyclopédie Française*, tome VI, 1936.

nécessitent et dire qu'elles dessinent une situation sociale différente de celle qui prévaut pour les maladies aiguës (2) et sur laquelle s'est fondée la médecine. La guérison n'étant pas possible, il va falloir vivre avec sa maladie et donc gérer la chronicité au quotidien, c'est-à-dire apprendre à contrôler les symptômes de la maladie et les traitements ainsi que ses conséquences biographiques et sociales. La gestion de la maladie chronique est une question largement explorée par la sociologie de la médecine qui a pu montrer que l'irruption d'une telle maladie engendre des répercussions sur l'identité et sur les différents registres de la vie quotidienne et que les malades sont devenus des acteurs incontournables de la division du travail médical (3).

Le développement de la compétence médicale des personnes malades

A la différence des maladies aiguës, l'acteur central n'est donc plus le médecin mais le malade et le centre géographique n'est plus l'hôpital mais le domicile, puisque la chronicité de la maladie a des conséquences personnelles et sociales qui dépassent largement le cadre de l'interaction médicale. A partir de ce constat, la sociologie a développé une analyse des relations médecins-malades fondée sur l'idée de négociation alors que les précédents modèles étaient formulés en termes de consensus ou de conflit (4). En effet, en particulier dans les affections chroniques, le malade participe activement à son traitement, il acquière souvent un savoir spécialisé et, dans certains cas, il apprend des techniques plus ou moins complexes, telles que les injections sous-cutanées ou même intraveineuses, qu'il lui faut appliquer sur son propre corps. Dans ces situations, il existe un minimum de transfert de compétence du médecin vers le malade ; la relation qui s'instaure entre eux s'inscrit dans la durée, elle peut être traversée par des conflits plus ou moins exprimés mais chacun des deux acteurs peut en influencer le contenu et le déroulement. L'expertise du médecin demeure mais son mode d'expression a changé : il n'est plus celui qui sait face à un malade ignorant et passif. La maladie chronique engendre non seulement des rapports différents, mais un nouvel ordre « négocié » entre la médecine et les personnes malades (5).

L'hôpital : d'un modèle à l'autre (6)

Simultanément aux évolutions qui ont modifié le paysage pathologique, l'hôpital a connu des changements structurels qui ont profondément bouleversé cette institution séculaire. La réforme de 1958 a eu pour principaux effets la création des Centres Hospitaliers Universitaires (CHU), l'institution d'un statut de médecin hospitalier à plein-temps (avec la possibilité d'avoir une activité privée au sein de l'hôpital) et l'introduction de la recherche fondamentale au sein de l'institution hospitalière. Cette réforme a donné aux grands hôpitaux la forme qui prévaut encore aujourd'hui. Par ailleurs, elle a profondément bouleversé le déroulement des carrières car l'hôpital est devenu rapidement attrayant pour ceux qui souhaitaient combiner la double activité, clinique et recherche fondamentale (7).

Contraintes économiques et progrès technologiques

Mais dès la fin des années 70, l'hôpital a été confronté à la crise économique : après les Trente Glorieuses qui ont vu l'accroissement du nombre d'établissements et des équipements lourds, les années 80 vont signifier un changement radical en matière de gestion. En 1983, l'instauration du budget global (8) représente une rupture qui va s'accompagner, pendant les quinze années suivantes, de plusieurs transformations structurelles importantes et diversifiées, comme le développement de consultations externes spécialisées qui peuvent concurrencer la médecine libérale, la prolifération de la technique qui engendre la fragmentation des prises en charge et la multiplication des intervenants, la professionnalisation des directeurs d'hôpitaux, les revendications des infirmières, l'introduction d'un système de recueil d'information médicale (type PMSI), la mise en place des Agences Régionales d'Hospitalisation (ARH), etc.

Ainsi, les contraintes économiques, conjuguées aux progrès techniques, ont conduit à une diminution des temps d'hospitalisation, ce qui a pour conséquences majeures de provoquer une mobilisation plus forte du plateau technique et d'intensifier le travail des professionnels de santé puisqu'il leur faut faire face simultanément à une augmentation du nombre des entrées et à une multiplication des examens et des actes en un temps de plus en plus court.

La société française contemporaine
Cahiers français nº 291

Santé

87

(2) Voir l'article d'Isabelle Baszanger, « Les maladies chroniques et leur ordre négocié », *Revue Française de Sociologie*, XXVII, 3-27, 1986.
(3) Il s'agit surtout de travaux anglo-saxons, on peut se référer à Mike Bury, « Chronic illness as biographical disruption », *Sociology of Health and Illness*, 4, 2, 1982, pp. 167-182 ; Juliet Corbin et Anselm Strauss, *Unending Work and Care*, San-Francisco-Londres, Jossey-Bass publishers, 1988.
(4) Talcot Parsons envisage la relation médecin/malade comme une relation consensuelle, en revanche Eliot Freidson défend l'idée d'un conflit de perspective intrinsèque à cette relation. Talcot Parsons, *The social system, New York, The Free Press of Glencoe*, 1951, traduction française in F. Bourricaud, *Éléments pour une sociologie de l'action*, Paris, Plon, 1955. Eliot Freidson, *La profession médicale*, (1ère éd. aux États-Unis en 1970), Paris, Payot, 1984.
(5) Voir le cadre théorique développé par Anselm Strauss, *La trame de la négociation*, Paris, L'Harmattan, 1992.
(6) Se référer à André-Pierre Contandriopoulos et Yves Souteyrand (coordonné par), *L'hôpital stratège : dynamiques locales et offre de soins*, Paris, John Libbey, 1996.
(7) Voir à ce propos : Haroun Jamous, *Sociologie de la décision*, Paris, CNRS, 1969.
(8) De façon très synthétique : l'hôpital n'est plus remboursé *a posteriori* ; il doit se soumettre à un système de gestion qui fixe *a priori* ses dépenses pour l'année à venir.

D'une « bureaucratie professionnelle » à une institution complexe

Le modèle d'analyse généralement utilisé pour décrire le fonctionnement de l'hôpital jusqu'au milieu des années 70 est celui de la bureaucratie professionnelle (9), défini par l'affirmation d'un corps médical autonome, indépendant de la gestion administrative et financière de l'établissement. A partir des années 80, ce modèle n'est plus adapté à la réalité hospitalière : l'hôpital devient une institution plus complexe, contrainte de s'ouvrir vers l'extérieur et de participer à une offre de soins régionale où cohabitent public et privé, dans des rapports qui devraient être complémentaires mais sont également concurrents.

Les changements concernent non seulement la structure et la culture hospitalière mais également les comportements et les stratégies des acteurs en charge de cette institution. Quelques exemples permettent de comprendre l'ampleur des changements qui sont à l'œuvre : alors que l'hôpital était intégré dans une structure verticale et fonctionnait de façon autocentrée, désormais il s'inscrit dans un réseau local où les enjeux sont à la fois techniques, économiques et politiques ; le médecin « patron » du service, exerçant de façon autonome et ignorant les contraintes budgétaires devient un spécialiste travaillant en interdépendance, soumis aux contraintes économiques et responsable de la gestion de son service.

L'évolution des formes de prises en charge

Mais quelles en sont les répercussions pour les malades hospitalisés ? Des travaux empiriques ont montré qu'au sein de l'institution hospitalière cohabitaient encore actuellement trois formes de prise en charge qui correspondent à une certaine chronologie (10). La forme la plus ancienne est « **l'hospitalité accordée aux malheureux** », elle est en quelque sorte l'héritage des anciens Hôtel-Dieu, lorsque l'hôpital avait pour vocation d'accueillir les indigents, sans aucune contrepartie financière. La deuxième forme de prise en charge correspond à la « **gestion collective du malheur** » ; apparue au XIXᵉ siècle, et fondée sur le principe de la solidarité dont l'État est le garant. La logique d'échange se gère au niveau collectif grâce à un système assurantiel. Enfin, la troisième forme est celle qui correspond à la « **dynamique de l'innovation médicale** », conséquence directe du développement de la recherche biomédicale au sein de l'hôpital instituée par la réforme de 1958. La logique d'échange est alors fondée sur la « valeur biomédicale » du patient qui est circonstancielle, c'est-à-dire qu'elle dépend à la fois de la pathologie dont souffre le patient et des programmes de recherche en cours ainsi que des thérapeutiques en train d'être testées. Cette forme de prise en charge permet de comprendre le désintérêt

médical à l'égard de certains patients dont la valeur mobilisatrice n'est pas suffisante, ce qui est particulièrement le cas lorsqu'il s'agit d'un malade âgé, représentant une charge de travail élevée et dont la pathologie n'est pas particulièrement intéressante sur le plan médical.

Ces différentes formes de prise en charge continuent à coexister au sein de l'institution hospitalière avec bien sûr une grande diversité en fonction de l'engagement des services dans le dispositif de la recherche : plus un service sera spécialisé et impliqué dans des protocoles de recherche, plus il aura tendance à sélectionner les malades en fonction de leur « valeur biomédicale ». A l'inverse, des services en dehors de tout dispositif de recherche pourront continuer à fonctionner sur une logique de l'échange indépendante de la cette « valeur biomédicale ». Actuellement, différents travaux montrent que les tensions entre les exigences d'hospitalité – en particulier à l'égard des personnes exclues des circuits assurantiels –, les impératifs de la rationalisation des dépenses de santé et la dynamique de la recherche biomédicale ont tendance à s'accentuer.

Les professionnels de la santé : une légitimité fragilisée

Alors que notre société est de plus en plus médicalisée, c'est-à-dire que le savoir médical a tendance à prendre une valeur normative en des domaines de la vie individuelle et collective toujours plus nombreux, les professionnels de la santé sont confrontés à une reconfiguration du monde médical qui traduit une fragilisation de la légitimité du pouvoir thérapeutique (11).

Que ce soit au travers des grèves des soins et des manifestations de rue à la fin des années 80 et au début des années 90 ou par l'intermédiaire de sondages, les professionnels de la santé expriment globalement leur malaise autour de trois thèmes : un niveau de revenus insuffisant, une détérioration du contenu du travail et une autonomie professionnelle de plus en plus réduite par l'emprise de l'État. Sans entrer dans les détails de ces discours plus ou moins corporatistes et plus ou moins fondés sur des éléments objectifs, on peut néanmoins cerner quelques grandes évolutions qui concernent les professionnels de santé et peuvent expliquer, au moins en partie, leur malaise.

(9) Henri Mintzberg, *Le Management, voyage au centre des organisations*, Paris, Éditions d'Organisation, 1990.
(10) Nicolas Dodier et Agnès Camus, « L'admission des malades, histoire et pragmatique de l'accueil à l'hôpital », *Annales HSS*, 4, 1997, pp. 733-763.
(11) Voir l'ouvrage collectif : Pierre Aïach et Didier Fassin, (coordonné par), *Les métiers de la santé, enjeux de pouvoir et quête de légitimité*, Paris, Anthropos, 1994.

L'évolution des professions de santé

La démographie médicale et paramédicale a connu une période de croissance très importante entre 1970 et 1983 (12) : les professions médicales (dentistes, médecins, pharmaciens et sages-femmes) ont augmenté de 68% et les professions paramédicales (infirmières, kinésithérapeutes, pédicures, orthophonistes, etc.) ont progressé de 90%. Bien que la « pléthore médicale » soit un argument mobilisé dans la rhétorique de cette profession depuis plus d'un siècle, cette explosion démographique a néanmoins eu pour première conséquence d'exacerber les phénomènes de concurrence, surtout dans la pratique libérale.

La mise en place de la réforme de 1958 a hiérarchisé le monde médical de façon pyramidale avec une prééminence des Centres Hospitaliers Universitaires (les CHU) et par conséquent des médecins spécialistes hospitalo-universitaires. Ce phénomène a été accentué par la multiplication des spécialités et du nombre de spécialistes : les derniers chiffres montrent qu'ils sont presque aussi nombreux que les généralistes. En une décennie, les médecins généralistes ont progressivement été dépossédés de certains types de consultations (gynécologie, dermatologie, ophtalmologie, etc.) et en ont ressenti une perte de prestige, voire une déqualification de leur activité.

Une légitimité mise en question

Malgré des avancées scientifiques et thérapeutiques incontestables, on constate, depuis une dizaine d'années, l'épuisement progressif de la logique d'autonomie sur laquelle s'étaient constitués, après la Seconde Guerre mondiale, la médecine et le système de santé. Outre le contrôle des dépenses de santé, qui a déjà été évoqué, on assiste à une diversification des spécialités et à leur hiérarchisation en termes de prestige : schématiquement on peut dire que la suprématie du paradigme scientifique creuse l'écart entre des disciplines médicales hyperspécialisées et liées à la recherche et des disciplines plutôt centrées sur la prise en charge de problèmes sociaux ; la gériatrie étant l'exemple le plus évident. Parallèlement, la multiplication des acteurs qui se sentent autorisés à prendre la parole sur les questions de santé ne peut qu'affaiblir la légitimité des professionnels de la médecine : journalistes, représentants de malades, industriels et politiques rejoignent médecins et scientifiques dont il discutent et parfois contestent l'expertise.

Enfin, les différents scandales – que ce soit ce que les médias ont appelé « l'affaire du sang contaminé » ou bien la transmission de la maladie de Creutzfeld-Jakob (13) – ont fortement ébranlé la médecine et les médecins qui, dans un cas comme dans l'autre, ont donné la mort en croyant aider à vivre. L'origine iatrogène de ces contaminations collectives provoque une crise de confiance à l'égard des médecins, de la médecine et de la science, d'autant plus grave et durable qu'il ne s'agit pas seulement d'un aléa thérapeutique mais également d'une faute collective (14). L'impact de la contamination des produits sanguins a largement dépassé le monde social de l'hémophilie et de la transfusion sanguine pour atteindre l'ensemble du monde médical, dont les modes de régulation ont montré leur inefficacité. Des interrogations majeures émergent sur ce que doit être un dispositif d'expertise indépendant (15) et sur ce que peut être une politique de santé publique dans un pays comme la France.

En définitive, le deuxième millénaire se termine sur une remise en cause de l'idée du progrès linéaire de la science et de la logique de maîtrise des maladies, qui s'étaient développées depuis la Seconde Guerre mondiale. On assiste actuellement à la redéfinition des rapports entre médecine et science, qui désormais ne peuvent plus être interprétés selon le modèle relativement simple d'une médecine toujours efficace, appliquant des découvertes scientifiques forcément positives.

Danièle Carricaburu,
sociologue INSERM/CERMES,
GRIS/Université de Rouen

(12) Les chiffres cités sont issus de : Françoise Acker et Gisèle Denis, *Santé,* Paris, La Documentation française/ANPE, Coll. « Rome », 1995.
(13) Il s'agit de la maladie de « la vache folle » transmise par une hormone de croissance.
(14) On peut se référer à Danièle Carricaburu, « L'Association française des Hémophiles face au danger de contamination par le virus du sida : stratégie de normalisation de la maladie et définition collective du risque », *Sciences Sociales et Santé*, XI, 3-4, 1993, pp. 55-81.
(15) Voir Aquilino Morelle, « L'institution médicale en question : retour sur l'affaire du sang contaminé », *Esprit*, octobre 1993, pp. 5-51.

**La société
française
contemporaine**
Cahiers français
n° 291

Santé

89

Bibliographie

Adam Philippe et **Herzlich Claudine** , *Sociologie de la maladie et de la médecine,* Paris, Nathan, Coll. « 128 », 1994.

Aïach Pierre et **Fassin Didier**, (coordonné par), *Les métiers de la santé, enjeux de pouvoir et quête de légitimité,* Paris, Anthropos, 1994.

Contandriopoulos André-Pierre et **Souteyrand Yves** (coordonné par), *L'hôpital stratège : dynamiques locales et offre de soins,* Paris, John Libbey, 1996.

Freidson Eliot, *La profession médicale*, (1ère éd. aux États-Unis en 1970), Paris, Payot, 1984.

Steudler François, *L'hôpital en observation*, Paris, Armand Collin, 1973.

État de santé de la population

En 1996, pour l'ensemble de la population, les causes de décès les plus fréquentes sont les maladies de l'appareil circulatoire (32,3%), les tumeurs (27,6%) et les accidents, suicides et homicides (8,2%).Ces trois groupes de pathologies entraînent près de 70% de la mortalité en 1996 (tableau).

La répartition des pathologies varie sensiblement selon le sexe. Chez les hommes ce sont les tumeurs qui prédominent devant les maladies circulatoires (respectivement 32,2% et 28,8%), alors que chez les femmes les maladies circulatoires arrivent largement en tête (36,2% contre 22,6% pour les tumeurs).Depuis la fin des années 80, les cancers sont devenus la première cause de décès chez les hommes, alors que les maladies circulatoires arrivaient en tête. L'étude plus détaillée des causes de décès indique que les pathologies les plus fréquentes sont chez l'homme : l'infarctus (9,4%), les cancers du poumon (7,4%) et les maladies cérébro-vasculaires (6,5%).Chez la femme, ce sont les maladies cérébro-vasculaires (9,8%), l'infarctus (8,2%) et les cancers du sein (4,3%).

Le tabagisme est la cause principale de survenue du cancer des poumons. La consommation de tabac après avoir connu une croissance très importante au cours des années 70 diminue depuis 1980. Cette diminution est surtout sensible chez les hommes fumeurs réguliers, dont la part est passée de 47% en 1980 à 35% en 1997. Par contre, chez les femmes le nombre de fumeurs réguliers continue d'augmenter (22% en 1997 contre 17% en 1980).

Depuis le début de l'épidémie, plus de 47 000 cas de sida ont été enregistrés en France au 31 décembre 1997, 61,9% des personnes dont le sida a été déclaré sont décédées. Compte tenu des cas non déclarés et du délai existant entre le diagnostic et la déclaration, le nombre total de cas de sida est estimé entre 50 000 et 55 000, et le nombre total de décès entre 34 000 et 37 000 (au vu des décès non déclarés et des délais de notification du décès).Le nombre de nouveaux cas de sida est estimé en 1997, à 2 548 soit une diminution de 36% par rapport à 1996. Cette diminution ne semble pas liée à une aggravation des retards de déclarations, mais à la diffusion des nouvelles stratégies thérapeutiques auprès des patients séropositifs.

Néanmoins la diminution actuelle du sida ne signifie pas une diminution des cas de séropositivité. (*)

INSEE

(*) Extrait, choisi par la Rédaction des Cahiers français, dans France, portrait social, 1998-1999, Paris, INSEE, octobre 1998, fiche thématique 22, pp. 184-185.

Principales causes de décès en 1996
(Champ : France métropolitaine)

	Ensemble		Hommes		Femmes	
	Nombre	%	Nombre	%	Nombre	%
Maladies circulatoires	173 177	32,3	79 585	28,8	93 592	36,2
dont : Infarctus	47 276	8,8	26 121	9,4	21 155	8,2
Maladies cérébro-vasculaires	43 468	8,1	18 037	6,5	25 431	9,8
Tumeurs	147 721	27,6	89 194	32,2	58 527	22,6
dont : Cancer du poumon	24 334	4,5	20 522	7,4	3 812	1,5
Cancer de l'intestin	16 348	3,1	8 464	3,1	7 884	3,0
Cancer du sein	11 149	2,1	139	n.s	11 010	4,3
Morts violentes	43 681	8,2	26 279	9,5	17 042	6,7
dont : Accidents de la circulation	7 782	1,5	5 587	2,0	2 195	0,8
Suicides	11 280	2,1	8 174	3,0	3 106	1,2
Maladies de l'appareil respiratoire	42 522	7,9	22 131	8,0	20 391	7,9
Maladies de l'appareil digestif	26 433	4,9	13 924	5,0	12 509	4,8
Maladies endoctriniennes	13 961	2,6	5 482	2,0	8 479	3,3
Autres causes	87 996	16,4	40 050	14,5	47 946	18,5
Toutes causes	535 491	100,0	276 645	100,0	258 846	100,0

Source : Inserm-SC8.

Violences urbaines

Le développement des conduites violentes dans les zones urbaines est devenu une caractéristique permanente de la société française. De formes diverses, ces violences renvoient à des causes spécifiques sur fond d'exclusions économiques, sociales et culturelles. François Dubet met ici à jour les différents mécanismes qui les produisent.

C. F.

Depuis le début des années 80, la société française semble traversée par des vagues de violences urbaines. Des « rodéos » des Minguettes de 1981 aux nuits de la Saint-Sylvestre de Strasbourg ou d'ailleurs en 1998, l'actualité est régulièrement dominée par les émeutes des jeunes des banlieues, par de graves épisodes de violences scolaires, par les débordements des supporters de football, par les manifestations qui dégénèrent en pillages de commerces et en affrontements réglés avec la police. Plus régulièrement, et de façon moins spectaculaire parce qu'on finit par s'y faire, on dénombre aussi une croissance des « incivilités », des violences et des incidents dans les transports en commun, sans compter les bagarres entre groupes de jeunes, les « bavures policières », les violences qui accompagnent les manifestations paysannes et lycéennes.
Bref, le paysage social est traversé par tout un ensemble de conduites violentes fortement hétérogènes, souvent sans liens entre elles, mais qui sont devenues un élément essentiel des problèmes politiques et sociaux. Régulièrement, les magazines, la presse quotidienne et les journaux font leurs titres sur cette violence. Régulièrement aussi on s'interroge sur la montée d'une violence qui entraînerait insensiblement la France vers un destin « américain » avec l'envahissement de la violence, des problèmes ethniques et d'une marginalité de masse. Quoi qu'il en soit de la valeur de ces interprétations qui nous en disent plus sur les inquiétudes ou les fantasmes de leurs auteurs que sur la réalité des conduites violentes, il faut bien reconnaître que les violences urbaines ne sont pas des « poussées de fièvre » épisodiques, mais un des traits relativement stable de la société qui se forme depuis une vingtaine d'années.

Des violences

La seule unité de la violence semble être la réprobation dont elle est l'objet, après plusieurs décennies d'affaiblissement qui semblaient confirmer la thèse du processus de civilisation avancée par Norbert Elias. Or, les violences ne sont pas toutes de même nature.

L'accroissement des conduites délinquantes

En dépit des difficultés de mesure, il est peu discutable que la délinquance augmente avec notamment une atteinte aux personnes, une accentuation des menaces et des violences : vols avec menace, racket, agressions, cambriolages vécus comme des violences... Si les incivilités, insultes et dégradations, ne relèvent pas directement de la statistique policière et judiciaire, elles sont, elles aussi, en constante augmentation comme le révèlent les enquêtes de victimisation. Des institutions, jusqu'alors largement préservées, comme l'école, semblent progressivement menacées puis envahies par des conduites violentes ou perçues comme violentes. On pourra toujours discuter, avec pertinence d'ailleurs, de la validité de la statistique criminelle et des biais sur lesquels elle repose, mais il reste que la délinquance juvénile s'est sensiblement accrue et semble-t-il « rajeunie ».

L'émergence des émeutes urbaines

A côté de la délinquance « banale », le phénomène le plus spectaculaire est sans doute l'installation des violences urbaines proprement dites à travers les émeutes. Celles-ci se constituent selon un scénario maintenant réglé et, dans une certaine mesure, prévisible. Dans les quartiers où se concentrent un grand nombre de difficultés sociales, il se crée une atmosphère de tension et une série d'accrochages entre les jeunes et la police. A propos d'une « bavure » policière ou d'un accident considéré comme tel, les jeunes du quartier entrent dans une sorte de guérilla urbaine avec les forces de police : ils ferment le quartier, brûlent des voitures, détruisent quelques commerces ou centres sociaux comme ce fut la cas à Vaulx-en-Velin près de Lyon, dans quelques cités de la banlieue parisienne ou, plus récemment, au Mirail dans la banlieue de Toulouse. Parfois, l'émeute est déclenchée par l'intervention de la police à la suite d'un « rodéo » au cours duquel les jeunes brûlent une ou plusieurs voitures volées ou à la suite d'une arrestation « musclée ». Mais dans tous les cas, il s'agit d'une violence collective provoquée par un affrontement des jeunes et de la police. Depuis quelques années, le risque est devenu tel que les forces de police hésitent à intervenir dans certains quartiers que la presse qualifie un peu rapidement de cités « hors la loi ». On commence à observer des émeutes plus ou moins « ludiques » comme celles de la Saint-Sylvestre à Strasbourg, qui sont prévisibles et

La société française contemporaine
Cahiers français n° 291

Violences urbaines

présentées par les jeunes comme un « jeu », de la même manière que les « caillassages » des autobus. Si l'on situe ces phénomènes dans une perspective historique, ces émeutes apparaissent relativement nouvelles en France, alors que l'Angleterre des années 70 et les États-Unis des années 60 en avaient connu de bien plus violentes et de plus meurtrières. Mais souvent, la logique de l'émeute est de même nature en France et aux États-Unis : les conflits sociaux y prennent une dimension de défense du territoire par des groupes de jeunes, les protestations contre la répression et les conduites délinquantes s'y mêlent de façon difficile à distinguer, les services et les travailleurs sociaux semblent dépassés... Et surtout, dans la plupart des cas, l'émeute retombe aussi rapidement qu'elle a explosé. Aucun mouvement social ne semble surgir de l'émeute, à l'exception peut-être de celle des Minguettes qui avait donné naissance à une « Marche pour l'égalité et contre le racisme » et, plus récemment, à un mouvement contre la violence issu des jeunes des quartiers.

La résurgence du phénomène des bandes

Pour artificiel et difficile qu'il soit de classer les formes de la violence, il faut noter le développement récent des affrontements opposant des bandes de jeunes. Longtemps en France, les bandes de jeunes ont eu plus de poids dans l'imaginaire que dans la réalité des conduites juvéniles. Depuis les bandes de blousons noirs du début des années 60, les bandes semblaient avoir quasiment disparu. Voici quelques années qu'elles se sont reconstituées sur la base de divers territoires que les groupes de jeunes s'efforcent de « contrôler ». Parmi ces territoires, il faut compter les cités elles-mêmes dont les jeunes se perçoivent comme les défenseurs dans les diverses compétitions de l'« honneur » les opposant à la police et à d'autres bandes. Il faut aussi noter la montée de bandes « ethniques », moins parce que l'identité ethnique y est recherchée que parce qu'elle s'impose comme un effet de la ségrégation sociale et spatiale. Les bandes sont violentes dans la mesure où

Violences urbaines : l'exemple américain ?

La ville de New York a connu au cours de ces dernières années une baisse spectaculaire de la criminalité. Les taux de meurtres, de cambriolages et de vols n'ont jamais été aussi bas depuis un quart de siècle.

Cette évolution coïncide avec la mise en œuvre des réformes Bratton (du nom du commissaire new-yorkais en charge de la politique de lutte contre l'insécurité). Soit :

- une forte augmentation des effectifs de police ;

- l'utilisation de nouvelles méthodes informatiques permettant la production de statistiques régulières afin d'adapter le quadrillage policier ;

- la responsabilisation des policiers, désormais tenus d'être plus actifs et de prendre des initiatives. Les réformes Bratton comprennent bien d'autres mesures.

On ne citera encore que les mesures de prévention inspirées de la théorie de la vitre brisée (1) : lutte contre le bruit excessif, le vandalisme, les dégradations sur la voie publique mais aussi contre la mendicité dans le métro ou auprès des automobilistes.

Ces mesures ont particulièrement retenu l'attention. En luttant contre les marques d'incivilité et la petite délinquance, les policiers sont parvenus à appréhender des délinquants violents. Aussi efficaces que soient les réformes Bratton, elles ne peuvent expliquer à elles seules la baisse de la criminalité. Celle-ci s'observe également dans des villes qui n'ont pas mis en œuvre ces méthodes (comme Houston : - 48% ; ou Dallas : - 45%).

Une étude suggère que c'est le déclin des luttes meurtrières entre dealers de crack qui est à l'origine de cette accalmie, à New York comme dans d'autres grandes villes américaines.

D'autres ont souligné la décroissance démographique du nombre d'adolescents.

Entre 1985 et 1995, New York a « perdu » quelque 170 000 jeunes. La publicité donnée aux stratégies policières ne doit pas faire oublier les efforts déployés par les habitants eux-mêmes pour prévenir la violence et empêcher que les jeunes ne paient le prix fort de la politique policière de « tolérance zéro ».

L'implication de ces citoyens a aussi sa zone d'ombre. Les programmes de lutte contre la criminalité sont fréquemment dirigés par les habitants les plus influents d'un quartier, même pauvre, en particulier les propriétaires « respectables » qui s'organisent contre les « mauvais » éléments : minorités pauvres, locataires... La surveillance des uns sur les autres, les patrouilles de vigiles, le partage des informations avec la police, etc., font douter d'une possible transposition de l'exemple new-yorkais aux villes françaises. (*)

Sophie Body-Gendrot

(*) Article de Sophie Body-Gendrot, choisi par la Rédaction des Cahiers français, publié sous le titre original « Baisse de la criminalité aux États-Unis » dans Sciences humaines, n°89, décembre 1998, p. 30. Le titre est de la Rédaction des C. F.
(1) Selon cette théorie, « dans le cas où une vitre brisée n'est pas remplacée, toutes les autres vitres connaîtront le même sort ». Inspirée des travaux du psychosociologue Philip Zimbardo dans les années 60, cette théorie a été popularisée dans les années 80 par J. Q. Wilson et G. L. Kelling (paru en 1982 sous le titre « Broken Windows », leur article a été traduit dans Les Cahiers de la sécurité Intérieure, n°15, 1er trimestre 1994). Cette théorie revient à renverser la thèse habituellement admise : ce n'est pas la dégradation du lien social qui est cause des incivilités, mais les comportements d'abandon des citoyens face à ces incivilités qui précipitent le délitement du lien social.

cette violence fonde leur identité, leur « rang » et leur solidarité. Elles sont aussi violentes parce qu'elles peuvent chercher à contrôler quelques ressources déviantes tenant aux diverses activités illégales des jeunes. Les bandes offrent une solidarité et une identité aux jeunes des quartiers « difficiles », elles renversent le stigmate en affirmation de la fierté et, bien souvent, la violence apparaît comme une conséquence de cette logique de l'honneur.

La violence comme représentation

La violence n'est pas seulement une « réalité », c'est aussi une représentation. La distinction entre violence objective et violence subjective n'est pas sociologiquement acceptable quand elle conduit à affirmer que le sentiment d'insécurité ne repose que sur des fantasmes et des peurs artificielles : l'accroissement du sentiment d'insécurité accompagne grossièrement celui des risques d'être victime de la délinquance. Cette corrélation est d'autant plus nette que l'on tient compte de ce que l'on appelle les petits délits, qui apparaissent comme des nuisances que les statistiques de la criminalité recensent plus faiblement que les crimes et les délits les plus graves. En même temps, ce sentiment d'insécurité n'est pas un simple reflet des risques objectifs d'agression et de délinquance car il apparaît surtout chez les individus qui se sentent les plus fragiles, les plus isolés et les plus abandonnés par les services publics et les institutions.

Sans que cette affirmation puisse s'apparenter à un procès des médias, il semble aussi que ceux ci jouent un rôle accélérateur dans le sentiment d'insécurité. D'abord, les médias contribuent à stigmatiser un certain nombre de quartiers ou de groupes comme étant « dangereux » ; afin d'être plus spectaculaires ou plus démonstratifs, bien des reportages accentuent les traits les plus sombres et les plus « criminogènes » des cités populaires des banlieues. Ensuite, les médias, surtout la télévision, accentuent le sentiment de proximité et d'immédiateté ; ils abolissent la distance entre le fait divers et le récepteur du message : tout se passe comme si « Ça s'était passé près de chez vous », et comme si chacun était potentiellement menacé. Enfin, les acteurs violents eux-mêmes utilisent les médias pour mettre en scène leur violence, pour donner davantage d'écho à leurs protestations.

Pour comprendre les violences, il faut non seulement distinguer des conduites, mais il faut aussi mettre à jour la diversité des mécanismes qui les engendrent. L'accroissement des violences urbaines peut être expliqué par quelques grands ensembles de « causes » et de « significations ».

L'anomie

La violence peut résulter d'un relâchement du contrôle social et de l'intériorisation des normes, de ce que l'on peut appeler rapidement l'anomie ou la désorganisation sociale.

L'affaiblissement du contrôle social et des liens sociaux traditionnels

Une des manifestations de ce mécanisme tient à la constitution et à l'évolution des zones de déviance tolérée. Toutes les sociétés, y compris les plus intégrées, ont toujours aménagé, pour les enfants et pour les jeunes notamment, des espaces de déviance tolérée, des moments et des lieux où la déviance est relativement permise, voire encouragée. Pensons aux fêtes de carnaval, aux chahuts scolaires, aux bagarres des sorties de bal, aux « virées » des étudiants, aux jeux des enfants sur les places et dans les rues, aux chapardages divers... Ces débordements ne sont pas nouveaux mais ils ne peuvent être considérés comme des déviances tolérées que dans les sociétés qui les contrôlent et les contraignent comme des sortes de moments initiatiques. Il est clair qu'aujourd'hui cette logique est très affaiblie avec l'épuisement des liens communautaires. Le contrôle social des divers groupes et des diverses communautés n'est plus aussi fort qu'il pouvait l'être, la surveillance collective des enfants et des adolescents n'a plus cours dans les quartiers où les enfants et les jeunes sont loin du regard des adultes et les frontières du permis et de l'interdit s'estompent. Ainsi, les jeux ludiques dérivent vers la violence sans que les acteurs aient toujours le sentiment qu'il ne s'agit plus d'un jeu.

Plus largement, l'installation de ce que l'on appelle la crise sociale tend à multiplier les « incivilités » et celles-ci envahissent les espaces qui en étaient relativement protégés. C'est notamment le cas du système scolaire qui voit les conduites délinquantes du quartier s'immiscer dans l'école elle-même avec le racket, les bagarres, les règlements de compte entre bandes... Bref, la violence peut être définie comme le produit de l'affaiblissement des mécanismes de contrôle social et du caractère distendu des liens sociaux dans les familles, les quartiers, et les institutions.

Le développement de sous-cultures d'opposition

Quand on décrit la violence comme un produit de l'anomie et de la désorganisation sociale, il ne faut pas croire que celles-ci n'engendrent que de la solitude et du flottement normatif. En effet, si les individus se détachent des normes et des identités collectives de la « grande société » comme aurait dit Émile Durkheim, c'est pour mieux se reconnaître dans les appartenances limitées du quartier, de la bande et du groupe. Ces identifications sur la base de territoires, d'« ethnies », de cultures diverses, appellent souvent le recours à la violence dans la mesure où l'identité est d'autant plus forte qu'elle repose sur un conflit, une sorte de « guerre larvée » contre d'autres groupes. On entre alors dans le jeu continu de la défense de l'« honneur » et des vengeances, de l'insulte et de l'appel à la dignité. On retrouve parfois la même logique dans les oppositions de groupes de supporters des équipes de football qui choisissent des « noms de guerre » et qui défient leurs

La société française contemporaine
Cahiers français
n° 291

Violences urbaines

adversaires à travers des injures plus ou moins ritualisées entraînant parfois des « passages à l'acte ». Autrement dit, l'affaiblissement du contrôle social dans une société qui ne propose plus des régulations collectives fortes, peut engendrer à la fois plus d'individualisme et plus de « tribalisation » des relations sociales. Quand je ne peux plus me reconnaître dans ma classe sociale, dans mon Église ou dans mon pays, j'adhère à la sous-culture de ma bande et de mon groupe qui n'existent que dans leur opposition à d'autres.

La violence instrumentale

Contrairement à ce que l'on croit souvent, la désorganisation sociale n'entraîne pas seulement des conduites irrationnelles liées au développement d'un fort sentiment de frustration. Il faut ici abandonner Durkheim pour se tourner vers Robert Merton afin de mettre en évidence l'accentuation d'une « contradiction » essentielle à notre société. D'un côté, la culture de masse s'est imposée à travers des modèles de vie et de consommation qui paraissent légitimes et accessibles à tous tandis que les cultures de classes se sont affaiblies. D'un autre côté, toute une part de la population, surtout les jeunes peu qualifiés et en échec scolaire, ont le sentiment que l'accès à ces modes de vie et à ces niveaux de consommation leur sont interdits. Ils ont le sentiment d'être invités à entrer dans la culture des classes moyennes tout en n'ayant pas la possibilité de réaliser leurs aspirations. La délinquance s'apparente alors à un conformisme déviant, à une manière de combler cet écart. La violence consiste alors à se saisir des biens les plus valorisés, en particulier les voitures prestigieuses, et à les détruire lors de « rodéos » spectaculaires dans lesquels la violence manifeste à la fois la fascination et le rejet de ces modèles de consommation. Plus largement aussi, la violence procède aussi d'un conformisme déviant et d'une rationalité délinquante puisque c'est une ressource illégale permettant d'obtenir ce que la culture de masse valorise tout en privant les individus des capacités de l'atteindre.
En ce sens, la violence n'est pas toujours explosive, excessive, absurde. C'est une manière rationnelle d'agir pour atteindre certains objectifs. Ainsi, les émeutes urbaines sont l'équivalent des manifestations dans les mouvements sociaux traditionnels. Après une phase de répression plus ou moins forte, l'émeute finit par se traduire en ressources et en équipements nouveaux dans les quartiers. Ne perdons pas d'ailleurs de vue que cette logique de la violence ne concerne pas seulement les jeunes des quartiers en « difficulté ». Le même usage instrumental de la violence est réalisé par les mouvements de paysans, par les nationalistes corses ou par d'autres qui ne sont violents que dans la mesure où ils veulent entrer dans le système. Ne pouvant faire grève, les uns et les autres sont violents et, en ce domaine, ils ont acquis une réelle capacité d'utiliser les médias qui mettent en scène ces violences et leur donnent de l'écho et du poids.

Dans le registre de la délinquance proprement dite, la violence peut aussi apparaître comme une ressource rationnelle de l'activité. Elle vise moins à acquérir directement des biens qu'à obtenir la discrétion et le silence des victimes et des témoins. Ainsi, le « climat de violence » est-il parfois nécessaire au développement de certaines activités illégales quand elles se développent dans quelques univers relativement fermés comme l'école ou le quartier.

Violences et domination

On ne peut réduire la violence et surtout les violences urbaines aux seuls effets de l'anomie ou de la recherche rationnelle de ressources illégitimes, qu'elles soient politiques ou économiques. Il y a dans la violence quelque chose d'excessif et parfois d'« absurde » quand elle attaque les services offerts aux acteurs ou quand elle détruit le cadre social dans lequel vivent les acteurs violents.

L'exemple de l'école et des services collectifs

Ainsi, les violences à l'école ne peuvent pas être réduites à des violences sociales qui entrent dans l'école. Ce sont aussi des violences qui visent l'école elle-même, qui agressent les professeurs, qui dégradent les locaux, qui sont des attaques contre l'école. En fait, ces violences sont des réponses à une école perçue elle-même comme violente. Cette violence ne réside ni dans le poids de la discipline, ni même dans la seule distance culturelle et sociale qui sépare les enseignants et leurs élèves. Elle s'enracine dans un phénomène plus complexe, plus intériorisé et dont la structure se retrouve dans d'autres domaines. L'école de masse invite tous les élèves à s'engager dans une scolarité longue et elle mobilise des moyens importants pour assurer leur réussite. Or, dès le temps du collège, bien des élèves découvrent que cette école les relègue progressivement vers des filières et des formations bien éloignées des espoirs de succès que l'école de masse avait fait naître en eux. Ces élèves se sentent donc à la fois aspirés dans l'école et rejetés par elle en raison de la faiblesse de leurs performances. Dans ce cas, soit ils cessent de « jouer » et se retirent du jeu scolaire, soit ils développent des violences anti-scolaires qui sont autant de manières de préserver leur face et leur dignité en s'appuyant sur la culture juvénile « contre » la culture scolaire.
C'est un mécanisme proche qui explique la violence des jeunes à l'encontre des services sociaux, des centres d'animation et de loisirs, des diverses structures de formation et d'aide à la recherche d'emploi. Ces jeunes ont le sentiment d'être appelés à participer et à entrer dans la société alors que ces diverses institutions n'ont pas la capacité réelle d'accomplir cette tâche. Les équipements sociaux

La société française contemporaine
Cahiers français
n° 291

Violences urbaines

94

symbolisent à la fois une volonté d'intégration et l'incapacité d'y parvenir. Parfois même, les jeunes peuvent avoir le sentiment que les travailleurs sociaux « profitent » de leur situation pour développer leurs propres activités en ne leur offrant pas de véritable insertion. Aussi n'est-il pas surprenant que les émeutes urbaines apparaissent souvent dans les quartiers les mieux équipés en services et en travailleurs sociaux.

Une intégration refusée

Ces violences s'enracinent sur un fort sentiment de domination sociale. Bien des quartiers se sentent abandonnés et délaissés à la périphérie des villes, interdisant à leurs habitants d'atteindre la vie sociale pleine et entière à laquelle ils aspirent. Les symboles de cette marginalité, notamment les transports en commun, deviennent alors les cibles de la violence juvénile oscillant entre le jeu et la protestation sociale. Les jeunes protestent contre la relégation et le stigmate tout en finissant par participer à la production du stigmate. La violence peut apparaître, paradoxalement, comme une aspiration à l'intégration et à la participation. Il ne faut pas taire non plus le fait que les jeunes issus de l'immigration se heurtent à une racialisation des relations sociales qui se manifeste quotidiennement dans la recherche de logement, la recherche d'emploi, les relations avec la police, et dans la vie sociale la plus banale comme l'accès aux lieux de loisir. En fait, les violences urbaines ne procèdent pas, comme on le dit trop souvent, d'un phénomène d'immigration, mais de la formation de minorités. L'écrasante majorité des jeunes des banlieues ne sont pas ou ne sont plus des immigrés. Par l'effet de la culture de masse et celui de l'école, ils participent pleinement à la culture commune et partagent les mêmes aspirations que les autres ; ce ne sont donc plus des immigrés. Mais en même temps, ces jeunes se heurtent à des manifestations plus ou moins directes de ségrégation et de racisme. La volonté d'intégration irréalisable se retourne alors en violence dès lors que ces jeunes découvrent que « la société ne veut pas d'eux ».
Ce processus est d'autant plus marqué que les jeunes des minorités qui réussissent à s'insérer grâce à leur niveau de qualification scolaire et professionnelle quittent les quartiers dans lesquels ils vivaient, accentuant ainsi le sentiment d'exclusion des autres et privant ces quartiers d'une élite susceptible de transformer la violence en action collective organisée.

Les réponses à la violence

Parce que la violence est multiple, les réponses à la violence sont de plusieurs ordres et, même s'il est difficile d'affirmer qu'elles sont inefficaces et inutiles, il importe d'en marquer les limites.

Repenser les rôles de la police et de la justice

La première de ces réponses est de l'ordre de la **répression**. Bien des travaux montrent que celle-ci n'est guère efficace pour ce qui est des petits délits perçus comme une violence diffuse. Si les jeunes des quartiers les moins favorisés ont une certaine propension à la délinquance, c'est aussi dans ces quartiers qu'il y le plus de victimes de la délinquance. Les habitants ont l'impression d'être abandonnés par la police et par la justice en même temps que les jeunes se sentent persécutés. Il se forme des polices privées dans les centres commerciaux et les parking, des polices municipales qui suppléent à l'« absence » de la police nationale sans pour autant la remplacer réellement. Il est clair qu'une nouvelle définition de la présence et de l'action policière s'impose face à ces nouvelles formes de délinquance et de violence. Ce problème ne peut pas être séparé de celui des modes d'intervention de la justice auprès de jeunes délinquants qui ne relèvent pas de la justice pénale tout en n'étant pas pris en charge de façon efficace par les diverses mesures d'accompagnement social, comme le montre le débat actuel sur les « sauvageons » et les centres fermés.

La société française contemporaine
Cahiers français n° 291

Violences urbaines

La médiation et ses limites

Depuis plusieurs années, ont été mises en œuvre des mesures de **médiation**. Il s'agit de multiplier les acteurs, souvent issus des quartiers, qui doivent restaurer des capacités de médiation entre les jeunes et les diverses institutions. La RATP a embauché des « grands frères », l'école a multiplié des emplois de médiateurs et d'aides éducateurs, les polices municipales ont développé les emplois d'îlotiers tandis que les grandes surfaces embauchent les jeunes des quartiers comme vigiles. Il est difficile de se prononcer sur l'efficacité de ces mesures. Sans doute désamorcent-elles un grand nombre de conflits et de petites violences. Mais en même temps, elles mettent les médiateurs dans des positions difficiles et entraînent une certaine « ethnicisation » des rapports sociaux. Elles attribuent ces fonctions de médiation à des emplois précaires et instables tout en permettant de différer les changements qui s'imposent dans le fonctionnement même de la justice, de l'école, des transports publics...

Développer de nouveaux modes de participation politique

Force est de constater que les jeunes, auxquels on attribue la plus grande part de violence, et, plus largement, les habitants des quartiers difficiles sont largement exclus des mécanismes de la participation politique. La vie politique et la vie associative locales se construisent sans une réelle participation des habitants des zones où se développe la violence. La composition des conseils municipaux et des conseils d'administration des associations ne laisse par de doute sur ce point. Aussi, les habitants des quartiers apparaissent-ils sur la scène publique comme des problèmes et pas comme des acteurs. Le « modèle républicain » se heurte ici à certaines de ses limites car, en même temps que l'on cible certaines politiques sociales vers des publics spécifiques, on répugne à mettre en œuvre des modes de participation politique eux aussi ciblés vers ces publics. Le processus d'intégration politique qui a longtemps fonctionné pour le mouvement ouvrier n'est plus efficace pour les « exclus » et pour les diverses « minorités ». Or, la **participation démocratique** a longtemps été perçue comme le moyen le plus efficace de transformer la violence en conflit.

Les violences urbaines peuvent être réduites à une série de causes spécifiques tenant à la situation des individus, aux mutations urbaines, aux stratégies des divers acteurs. Cependant, la décomposition analytique de ces violences en une série d'objets et de causes particulières ne doit pas nous détourner d'une interrogation plus fondamentale sur l'émergence de la violence dans une société qui semblait engagée vers une pacification progressive. Il faut d'abord noter que cette pacification reste la loi et que la tolérance à l'égard de la violence a fortement décliné depuis une longue période dans le domaine des violences politiques (la répression des mouvements sociaux a décliné) et dans celui des violences privées, contre les femmes, les enfants et ... les animaux. Il n'est pas certain que la violence n'ait pas aussi décliné dans le sport. Mais au même moment, le spectacle de la violence, réelle ou dans la fiction, se répand dans les médias. Il existe à la fois un refus et une fascination de la violence.

Les violences urbaines ne sont pas un épiphénomène. Elles ne sont pas la manifestation d'un crise passagère. Elles s'inscrivent dans une double mutation. La première concerne la structure sociale dans laquelle l'opposition « traditionnelle » des classes sociales est traversée par le clivage qui oppose les acteurs intégrés à ceux qui sont exclus. Ce clivage est générateur de violence dans la mesure où l'exclusion économique est juxtaposée à une forte intégration culturelle, celle de la société de masse. Il est aussi générateur de violence parce qu'il n'a pas d'expression politique. La seconde mutation concerne les formes de légitimité. Non seulement les modes traditionnels de l'autorité déclinent, mais la seule légitimité démocratique ne suffit pas à fonder l'autorité et le contrôle social. Il faut aussi que les diverses institutions soient capables de démontrer leur efficacité, leur capacité d'atteindre les objectifs qu'elles affichent. Or ceci semble de plus en plus difficile en raison de l'accroissement des demandes sociales qui pèsent sur l'État et les politiques publiques.

François Dubet,
CADIS, EHESS,
Université Victor Segalen Bordeaux 2

Bibliographie

Bachmann Christian, Leguennec Nicole :

- *Violences urbaines. Ascension et chute des classes moyennes à travers cinquante ans de politique de la ville*, Paris, Albin Michel, 1996 ;
- *Histoire d'une émeute. Histoire exemplaire du soulèvement d'un quartier*, Paris, Albin Michel, 1997.

Body-Gendrot Sophie, *Ville et violence. L'irruption de nouveaux acteurs*, Paris, PUF, 1993.

Bouveau Patrick, Cousin Olivier, Favre-Perroton Joëlle, *L'école face aux parents*, Paris, ESF, 1999.

Charlot Bernard, Emin Jean-Claude (dir.), *Violences à l'école. État des savoirs*, Paris, Armand Colin, 1997.

Dubet François, *La galère, Jeunes en survie*, Paris, Fayard, 1987.

Elias Norbert, *La civilisation des mœurs*, Paris, Calmann-Lévy, 1973.

Lagrange Hugues, *La civilité à l'épreuve. Crime et sentiment d'insécurité*, Paris, PUF, 1995.

Macé Éric, « Service public et banlieue populaire : une coproduction de l'insécurité », *Sociologie du travail*, n°4, 1997.

Monjardet Dominique, *Ce que fait la police*, Paris, La Découverte, 1996.

Ocqueteau Frédéric, *Les défis de la sécurité privée*, Paris, L'Harmattan, 1997.

Roché Sébastian, *Insécurité et Libertés*, Paris, Seuil, 1994.

Wieviorka Michel et al., *Violence en France*, Paris, Seuil, 1999.